Une histoire de
Lamèque

Des origines à nos jours

Roy Bourgeois

Maurice Basque

Une histoire de
Lamèque

Des origines à nos jours

éditions
d'acadie

L'éditeur désire remercier le Ministère des Ressources Historiques et Culturelles et la Commission du Bicentenaire du Nouveau-Brunswick pour leur contribution à la réalisation de ce livre.

Graphisme: Raymond Thériault

ISBN 2-7600-0104-0

© Les Éditions d'Acadie, 1984
351, rue St-Georges
Moncton, N.-B.
E1C 1W8
Canada

Reconnaissance

Nous nous en voudrions de ne pas remercier M. Gilles Haché de Lamèque, notre assistant de recherche. Son travail pertinent, ses entrevues avec des vieillards et tout particulièrement sa cueillette de données démographiques nous furent utiles.

L'appui du conseil de ville de Lamèque, ainsi que de son maire, M. Jean-Charles Chiasson, fut d'une importance considérable pour la réalisation de cet historique. Il en fut de même pour l'aide bienveillante de MM. Henri-Paul Guignard et Joseph Haché et de Mme Carol Gauvin, du bureau de la Municipalité de Lamèque.

M. Ronald LeBlanc et Mme Carmella Bourgeois eurent la bonté de nous guider dans les archives du Centre d'études acadiennes. Que ces quelques lignes témoignent de notre reconnaissance envers tous ceux et celles qui nous ont aidés à préparer cet ouvrage.

Les auteurs

Introduction

Cet historique de Lamèque n'est certes pas le premier pour cette communauté. Déjà, au tournant du siècle, l'historien William Francis Ganong publiait une série de monographies concernant les villages de la péninsule acadienne. Dans *History of Shippegan*, publié pour la première fois en 1907, Ganong faisait mention de notes historiques sur Lamèque. En 1951, l'abbé Edmond Ouellette, vicaire à Lamèque, publiait un album-souvenir décrivant l'histoire de sa paroisse d'adoption. Ce petit livre, bien qu'il accorde trop d'importance à l'aspect religieux, nous renseigne sur plusieurs détails nécessaires pour une bonne synthèse du passé laméquois.

Cependant, *Le Grand Chipagan*, de Mgr Donat Robichaud, paru en 1976, est l'oeuvre capitale que doivent consulter ceux et celles intéressés à l'histoire de la région de Shippagan. Contrairement à nous, qui avons consacré trois mois à la recherche et à la rédaction, Mgr Robichaud mit des années de patient labeur pour en arriver à son beau livre.

Malgré ce manque de temps, la synthèse que nous présentons se veut un survol de la vie socio-économique laméquoise des origines à nos jours. Sans contester le grand apport du clergé catholique dans l'histoire de notre village, il faut bien préciser que Lamèque ne s'est pas seulement développée au "rythme ecclésiastique", comme le véhicule une certaine historiographie traditionnaliste*. En plus d'élever des églises, les Laméquois ont connu d'autres dimensions de la vie quotidienne, tels la politique, l'économie, l'éducation, les malheurs des naufrages, etc. C'est dans ces réalités de la vie de tous les jours que cet historique puise son inspiration.

Pour réaliser cette recherche, nous avons consulté l'imposante collection de documents du Centre d'études acadiennes de l'Université de Moncton. Outre les ouvrages cités ci-haut, nos principales sources furent les suivantes: de nombreux articles publiés dans l'*Évangéline*, surtout sous la rubrique intitulée "Dans nos centres acadiens", le registre de la paroisse St-Urbain de Lamèque (1840-1980), ainsi que l'importante correspondance d'Henry A. Sormany, Jersiais qui habitait Lamèque au siècle dernier. L'année 1867 a été arbitrairement choisie pour séparer l'ouvrage en deux parties. L'année de création du Dominion du Canada ne changea pas la vie des Laméquois, mais cette date facilite la recherche, car après 1867, nous avons de nouvelles sources d'information, tels les recensements fédéraux, le *Moniteur Acadien*, l'*Évangéline*, etc.

Tenter d'écrire l'histoire de Lamèque présente de sérieux problèmes. Les termes employés dans les textes pour décrire notre région sont variés. Ainsi, par "Grand Chipagan", il faut entendre les petits villages établis à la fin du XVIIIe et au début du XIXe siècle autour du havre de Shippagan, ce qui comprend entre autres, Lamèque, Petite-Lamèque, la Pointe-Alexandre et Shippagan. De plus, lorsque l'on parle de Lamèque au XIXe siècle et même pendant une bonne partie du XXe, le terme désigne souvent la région de Lamèque, ne se limitant pas seulement aux frontières du village. Il est bien ardu, dans ces conditions, d'épingler des faits pour le seul village de Lamèque.

---

* *Le Voilier*, 20 juillet 1983, p. 20.

Les problèmes de l'historiographie laméquoise se posent aussi à un autre niveau, celui des documents officiels. Lamèque fait partie de la paroisse civile de Shippagan, mais c'est la ville de Shippagan, et non Lamèque, qui est l'agglomération principale de cette sous-division du comté de Gloucester. Ainsi, lorsque les gouvernements publiaient (et publient encore aujourd'hui) les résultats chiffrés des recensements pour notre région, ils le faisaient toujours dans le cadre de la paroisse civile. Ces chiffres étant vraiment trop généraux pour Lamèque, il fallut chercher ailleurs. Et, trop souvent, nous n'avons pas trouvé suffisamment de données économiques, démographiques, politiques ou autres pour le seul village de Lamèque.

Faut-il ajouter que Lamèque est située dans l'île du même nom et que l'information que les journaux de l'époque publiaient correspondaient bien des fois à toute l'île, et non aux petits villages qui s'y trouvaient. Nonobstant ces problèmes de recherche, nous avons pu brosser une synthèse du passé laméquois en axant le plus souvent possible notre étude sur le seul village de Lamèque et en particulier sur son histoire socio-économique. Remarquons que Francis Savoie publia en 1967 un recueil de textes folkloriques laméquois des plus intéressants, pour ceux que la chose intéresse.

Somme toute, ce travail d'un été fut assurément trop bref. Néanmoins, nous le pensons, il présente les traits les plus importants de l'histoire de Lamèque, et sans vouloir faire figure d'oeuvre d'édification, il rend hommage aux valeureux pionniers de l'ancienne Grande Amacque.

Sigles

A.A.Q.   Archives de l'Archevêché de Québec

A.P.N.B.   Archives publiques du Nouveau-Brunswick

C.E.A.   Centre d'études acadiennes

C.S.H.A.   Cahiers de la Société historique acadienne

EV.   l'*Évangéline*

J.H.A.N.B.   Journals of the House of Assembly of New Brunswick

M.A.   *Le Moniteur Acadien*

R.H.S.H.N.D. Revue d'histoire de la Société historique Nicolas-Denys

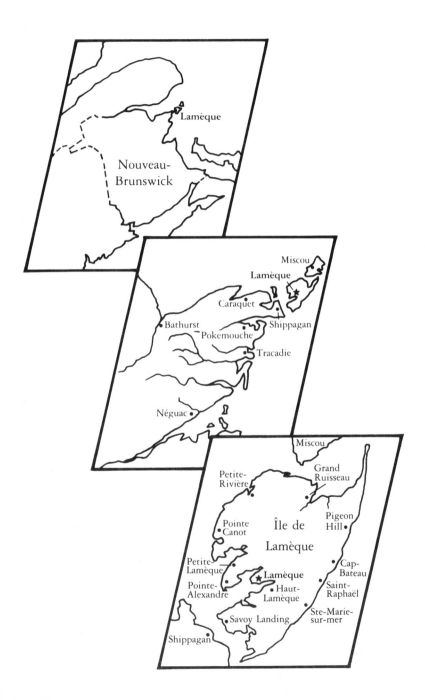

I

LAMÈQUE, DES ORIGINES À LA CONFÉDÉRATION (1867)

Lamèque: les origines du village

DESCRIPTION PHYSIQUE

Sise au nord-est du Nouveau-Brunswick, entre la baie des Chaleurs et le golfe du Saint-Laurent, l'île de Lamèque présente un physique assez ingrat. Elle possède peu de terres arables, la majeure partie de sa superficie étant composée de sols très peu favorables aux cultures céréalières. De plus, la croissance de forêts commerciales est, elle aussi, gravement limitée. Au XVIIe siècle, Nicolas Denys décrivait la qualité des sols en ces termes: "(...) la terre y est sablonneuse et ne laisse pas d'estre bonne"[1]. Cependant, ce contexte physique allait favoriser l'introduction de l'industrie tourbière au XXe siècle.

C'est dans cette île de Lamèque, séparée au nord de l'île de Miscou par le havre de Miscou, et au sud de la péninsule acadienne par le goulet de Shippagan, qu'allait naître, vers la fin du XVIIIe siècle, le village de Lamèque. Ce dernier est situé au sud de l'île, sur la rive nord-est de la baie de Lamèque. Quant aux possibilités agricoles des

---

1. DENYS, Nicolas, *The Description and Natural History of the Coasts of North America*, traduction, édition de l'original par W.F. Ganong, Toronto, The Champlain Society, 1908, p. 499.

15

sols, la rive nord de la baie semble être plus favorisée que celle du sud[2].

À Lamèque, la mer et les attraits économiques l'emportent sur l'agriculture. Le havre de Lamèque est propice aux embarcations à fort tonnage. Un guide d'information, publié au milieu du siècle dernier, le décrivait ainsi: "(...) good anchorage for vessels of the largest class, which can lie perfectly sheltered from every wind"[3]. Avec ces atouts, la vocation de Lamèque sera rivée aux pêcheries, à la mer, avec ses richesses et ses dangers.

TOPONYME

Comme pour Caraquet, Pokemouche, Shippagan, Tracadie et bien d'autres noms de lieux de la péninsule acadienne, le mot Lamèque est d'origine amérindienne. En effet, les Micmacs, qui habitaient la région bien avant l'arrivée de l'homme blanc, appelaient la baie de Lamèque, "Elmugwadasik". Ce mot micmac signifie "la tête est tournée du côté[4]". Après de nombreuses transformations, le nom actuel de Lamèque vit le jour. Cependant, il ne fut employé que vers le début du XIXe siècle. Dans les premiers temps de la présence européenne en Acadie, l'île de Lamèque était connue sous le nom de la "Grande Isle de Miscou[5]". La carte de l'intendant Jacques DeMeulles (1686) fait mention de la Petite Isle et de la Grande Isle de Miscou[6].

Au XVIIIe siècle, on assista à une transformation du

2. *Possibilités agricoles des sols*, Environnement Canada, Direction générale des terres, Bathurst, 21 p.
3. PERLEY, M.H., *A Hand Book of Information for Emigrants to New Brunswick*, Saint John, Henry Chubb & Co., 1854, p. 53.
4. RAND, Silas T., *Micmacs place - names in the Maritimes Provinces and Gaspé Peninsula recorded between 1852 and 1890*, Ottawa, Geographical Board of Canada, 1919, p. 24.
5. DENYS, Nicolas, *op. cit.*, p. 499.
6. GANONG, W.F., "Additions to monographs...", *Contributions to the History of New Brunswick*, vol. 3, Ottawa, Royal Society of Canada, 1906, p. 365.

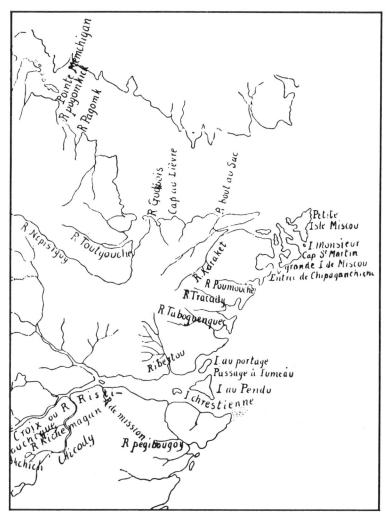

Carte de DeMeulles, 1686, détail.
(Ganong, W.F., *Additions to Monograph, op. cit.*)

toponyme. Sur la carte de d'Anville (1755), on retrouve l'inscription, "Ile Chipagan" pour désigner l'île de Lamèque[7]. Avec l'influence de la langue anglaise, Chipagan devint Shippegan et ce nom demeura jusqu'en 1974, date à laquelle les habitants de l'île décidèrent, par référendum, du nom de Lamèque pour désigner l'ancienne "Grande Isle de Miscou"[8].

La ville de Lamèque tire donc son nom de l'île mais aussi de la baie de Lamèque. Le nom de la ville connut une évolution grammaticale un peu différente de celui de l'île. Sur une carte de 1784 on se sert, pour la première fois, de "Petit" et "Great Nanibeque" pour désigner les baies de Lamèque et de Petite-Lamèque[9]. Avec l'établissement des premiers pionniers, le lieu devint Amacque et on parla alors de Grande et Petite Amacque[10]. Néanmoins, les anglophones employaient toujours le nom de "Alemelc", comme sur les cartes de Bayfield (1845) et de Loggie (1901)[11]. Finalement, la version francisée de Lamec ou l'Amecque* finira par l'emporter. Une dernière transformation toponymique donna le nom actuel de Lamèque.

LES MICMACS

La première présence humaine dans l'île de Lamèque fut sans doute celle des Amérindiens micmacs. Ces derniers passaient l'hiver dans la forêt, mais avec la venue du printemps ils allaient camper à l'embouchure des rivières pour y pratiquer la pêche. On ne peut parler d'établis-

7. *Ibid.*, p. 375.
8. RAYBURN, Alan, *Geographical Names of New Brunswick*, Ottawa, Dept. of Energy, Mines and Resources, 1975, p. 152.
9. GANONG, W.F., "Additions to monographs...", *op. cit.*, vol. 7, p. 14.
10. COONEY, Robert, *A Compendious History of the Northern part of the province of New Brunswick and of the District of Gaspé in Lower Canada*, Chatham, D.G. Smith, 1896, p. 180.
11. RAYBURN, Alan, *op. cit.*, p. 152.

* C'est l'orthographe qu'employait Henry A. Sormany (1833-1907), habitant de l'endroit, dans sa correspondance.

sements permanents car ils retournaient au fond des bois lorsque le temps tournait au froid[12].

W.F. Ganong fait mention de campements micmacs au sud de l'île de Miscou et près de Shippagan[13]. Il remarqua aussi dans ses écrits la présence de l'un de ces campements à la Pointe-Alexandre et d'un autre tout près de l'emplacement actuel du centre-ville de Lamèque[14]. On pense que les Micmacs quittaient leurs camps de la rivière Pokemouche pour venir séjourner quelque temps dans l'île de Lamèque. En plus de l'attrait des pêcheries, l'île offrait de bonnes possibilités pour la chasse du petit gibier: "(...) il se trouve une grande quantité de chasse de toutes sortes d'oiseaux, il s'y trouve aussi beaucoup(...) de perdrix et de lapins(...)[15]". Cette description de Nicolas Denys prouve bien que Lamèque possédait une faune qui y attirait des familles micmacques.

L'arrivée de l'homme blanc amena ces Amérindiens à délaisser l'île de Lamèque comme lieu de campement estival. Ils furent relativement confinés dans leur réserve de la rivière Pokemouche[16]. Des fouilles archéologiques furent effectuées dans l'île en 1976. Celles exécutées près de la ville de Lamèque ne livrèrent pas de nouveaux renseignements au sujet de la présence amérindienne[17]. Mais les Micmacs n'en furent pas pour autant complètement oubliés. Une de leurs légendes est parvenue jusqu'à nous. Il s'agit de celle du gougou, ce monstre à corps de femme

12. UPTON, L.F.S., *Micmacs and Colonists, Indian-White Relations in the Maritimes, 1713-1867*, Vancouver, U.B.C., 1979, p. 2.
13. GANONG, W.F., *op. cit.*, vol. 6, p. 20.
14. *Ibid.*
15. DENYS, Nicolas, *op. cit.*, p. 499.
16. HAMILTON, W.D. et SPRAY, W.A., *Source Materials Relating to the New Brunswick Indian*, Fredericton, Centennial Print, 1976, p. 12.
17. ALLEN, P. et TURNBULL, C., "Fouilles archéologiques Iles de Miscou, Lamèque, Taylor et Pokesudie", *R.H.S.H.N.D.*, août-déc. 1977, vol. 5, no 4, p. 13-20.

qui habitait l'île de Lamèque. Les Micmacs en avaient horreur car celui-ci avait un faible pour la chair humaine[18].

LAMÈQUE AUX XVIIe ET XVIIIe SIÈCLES

Ce ne fut qu'aux environs de 1790 que l'emplacement actuel de Lamèque connut une présence blanche permanente. Toutefois les îles de Lamèque et de Miscou ont leur place dans l'histoire de l'ancienne Acadie. Les Jésuites fondèrent une mission à Miscou en 1634 mais l'abandonnèrent vers 1662[19]. Nicolas Denys eut un petit établissement au nord de l'île de Lamèque vers 1672[20]. L'intendant DeMeulles, lors de son voyage en Acadie, en 1685-1686, dut, à cause d'intempéries, faire un court séjour à Miscou à la fin d'octobre et au début de novembre 1685. Son journal de voyage n'y relève aucune présence européenne ou amérindienne[21].

En 1694, on confirme la présence de Philippe Esnault, habitant de Nepisiguit, dans sa seigneurie qui comprenait la rivière Pokemouche et qui s'étendait jusqu'aux rives sud de l'île de Lamèque[22]. Malgré un manque d'établissements permanents, les eaux de Lamèque et de Miscou continuaient d'attirer de nombreux pêcheurs venus profiter des immenses richesses en poisson de la baie des Chaleurs et du golfe du St-Laurent.

La déportation des Acadiens changea la configuration humaine de Lamèque. La région qu'on appelle le grand Chipagan reçut quelques réfugiés du "Grand Dérangement". Le recensement de Bazagier de 1761 signala la présence de cinq familles acadiennes, vingt-six personnes

18. LÉGER, J. Médard, "Miscou en 1620", *C.S.H.A.*, 1er cahier, 1961, p. 37.
19. GANONG, W.F., *op. cit.*, vol. 4, p. 296-298.
20. *Ibid.*
21. MORSE, W., "Account of the voyage of Monsieur de Meulles to Acadie, 1685-1686", *Acadiensa Nova*, vol. 1, 1935, p. 96-98.
22. GANONG, W.F., *op. cit.*, vol. 4, p. 319.

au total, établies au grand Chipagan[23]. Les autorités britanniques, malgré leur victoire éminente sur les troupes françaises en Amérique, voyaient d'un mauvais oeil ces réfugiés acadiens qui vivaient sur les rives de la baie des Chaleurs. En 1760, "les Acadiens armèrent aussi une goëlette 47 hommes formèrent son équipage, au commencement d'Octobre ils firent à la vue de Gaspay une bonne prise, ils furent poursuivis par une frégate qui leur fit échouer leur bâtiment ils se batirent vigoureusement à terre et menèrent le tout à Chipagan où ils étaient encore à la capitulation"[24].

En 1761, pour en finir avec cette présence épineuse, on envoya le capitaine MacKenzie, accompagné d'une force de cinquante Highlanders, qui reçut la reddition de 787 Acadiens, dont 335 furent déportés[25]. Ils provenaient de la région s'étendant de Bathurst à Shippagan. Après le raid de MacKenzie, les Acadiens demeurant sur place favorisèrent l'emplacement de Caraquet aux dépens de celui du grand Chipagan[26]. Le traité de Paris, signé en 1763, allait permettre aux Acadiens de retourner vivre en Acadie. Un grand nombre d'anciens déportés se fixèrent au nord-est du Nouveau-Brunswick, d'où la fondation de plusieurs villages, dont Lamèque.

Les premières familles

Lorsque les Acadiens décidèrent de s'établir dans la péninsule acadienne, ils choisirent les lieux qui offraient des possibilités pour les pêcheries ainsi qu'une proximité des foins de marais salants[27]. Ces foins servaient de four-

---

23. BRUN, Régis S., "Les papiers Amherst", *C.S.H.A.*, vol. 3, no 7, avril-juin 1970, p. 265.
24. *Ibid.*, p. 263.
25. HAINES, Cederic L., *The Acadian Settlement of Northeastern New Brunswick: 1755-1826*, Thèse de M.A., U.N.B., 1979, p. 15.
26. *Ibid.*, p. 47.
27. *Ibid.*, p. 4.

rage. L'emplacement de Lamèque répondait à ces exigences.

Selon la tradition locale, le premier colon acadien de l'île fut Jean-Baptiste Robichaud. Né en 1751 dans l'ancienne Acadie, il passa, avec sa famille, à l'Ile-du-Prince-Édouard, fut déporté en Angleterre puis vint en France, plus précisément à Saint-Servan, en Bretagne. Il y épousa en 1773 une Acadienne déportée, Félicitée Cyr. Comme bien d'autres Acadiens exilés en France, Robichaud voulait regagner l'Amérique. Les Robin, marchands de l'île de Jersey*, s'intéressaient aux pêcheries de la baie des Chaleurs. Ils voulaient coloniser cette région avec des pêcheurs qui se seraient mis au service de leur entreprise commerciale. Ce fut ainsi qu'en 1774, Robichaud et d'autres Acadiens quittèrent l'Europe à bord d'un navire des Robin et vinrent s'installer en Gaspésie. Des conflits avec les autorités anglaises locales poussèrent Robichaud à quitter Bonaventure et vers 1790, il vint s'établir au sud de l'île de Lamèque, au village des Robichaud, village auquel il donna son nom[28].

Ce fut un Chiasson qui le premier semble-t-il, occupa un lot de terre sur l'emplacement actuel de la ville de Lamèque. Jean-Chrysostôme Chiasson vint de l'Ile-du-Prince-Édouard, et avant de s'établir à Lamèque vers 1802, il passa quelque temps au Petit-Shippagan, au nord de l'île. Il avait épousé Anne Daigle. Son frère, Joseph Chiasson, fut l'un des pionniers de Bas-Caraquet. Jean-Chrysostôme s'établit sur la rive nord de la baie de Lamèque[29].

Deux cousins de Jean vinrent le rejoindre à Lamèque. Ce furent les frères Joseph et Louis Haché de l'Ile-du-Prince-Édouard qui s'installèrent tout près de la terre de

---

* L'île de Jersey, possession britannique, est située dans La Manche, entre la France et l'Angleterre.

28. SAVOIE, Alexandre J., *Un demi-siècle d'histoire acadienne*, Montréal, Imprimerie Gagné, 1976, p. 23.

29. CHIASSON, Jean-Paul, *Les Chiasson, Généalogie*, Lamèque, 1969, p. 4.

Carte de Lamèque et de Shippagan 1829.
(Ganong, *History of Shippegan, op. cit.*)

Chiasson. Ils sont les ancêtres des Haché de Lamèque[30].
Luc Savoie, fils de Joseph Savoie et d'Isabelle Anastasie
Robichaud, faisait également partie de ces pionniers. Il
quitta le village des Robichaud où résidait son père, et
épousa Antoinette Chiasson, fille de Jean-Chrysostôme et
d'Anne Daigle[31*].

Lamèque ne fut pas fondée uniquement par des
familles acadiennes. Deux Canadiens-français, Pierre
Duclos et Michel Guignard s'y installèrent avec leurs
familles. Ils avaient épousé des Acadiennes. Ils prirent des
lots de terre à la Pointe-Alexandre[32].

Des Normands habitant la Gaspésie prirent également
ment une part active dans le développement de la colo-
nisation du village de Lamèque. Les frères François, Jacques
(Jacquot) et Jean-Marie Duguay, accompagnés de leur
beau-frère, Jean Mallet, vinrent vivre à Shippagan à la fin
du XVIIIe siècle. Quelques-uns de leurs enfants démé-
nagèrent à Lamèque et à Pointe-Canot où leur descendance
est nombreuse[33]. Il faut aussi noter la famille de Joseph
Paulin, un Canadien-français de Caraquet qui vint s'établir
à Lamèque, aux premiers temps de son histoire. Il prit
une terre près de celle des Guignard.

L'île de Lamèque connut une autre vague de colo-
nisateurs à l'époque. Le Petit-Shippagan se développait
parallèlement à la région de Lamèque. Des familles anglophones s'y fixèrent. Les requêtes de terres de Murdock
Campbell (1819), Duncan McCole (1819), Edward Power

---

30. SAVOIE, Alexandre-J., *op. cit.*, p. 24.
31. ROBICHAUD, Donat, *Le Grand Chipagan...*, *op. cit.*, p. 339.

* Nous sommes redevables aux ouvrages généalogiques et historiques de Mgr Donat
  Robichaud. Son long et patient travail nous a fourni bien des renseignements
  pour cet historique de Lamèque. Sa section "Histoire des familles" dans *Le Grand
  Chipagan* est fortement conseillée à ceux et celles qui souhaitent en connaître
  plus au sujet des familles qui nous concernent.

32. SAVOIE, Alexandre-J., *op. cit.*, p. 23.
33. GANONG, W.F., "The History of Shippegan", *Acadiensis*, 1907, p. 149.

Concessions de terres dans l'île de Lamèque au XIXe siècle.
(Ganong, W.F., *History of Shippegan, op. cit.*)

25

(1821), Thomas Morrison (1820) et d'autres en font état[34].

Outre les conditions du terrain, on peut affirmer que les liens de parenté jouèrent un grand rôle dans le peuplement de Lamèque. Comme pour Tracadie[35], et sans doute pour les autres villages de la péninsule, la force des liens familiaux amenait le gendre à aller retrouver son beau-père, les frères à s'établir au même endroit, etc. Ainsi les premiers Haché de Lamèque étaient les cousins de Jean-Chrysostôme Chiasson car François Chiasson était leur grand-père commun[36]. Luc Savoie épousa la fille de ce Jean Chiasson. Les exemples ne manquent pas...

Lamèque était francophone à ses débuts car les pionniers anglophones se fixèrent surtout au nord de l'île. Les contacts entre ces deux petits villages furent sans doute passablement limités; la tourbe et ses lisières empêchaient une communication terrestre efficace[37]. De plus, Lamèque et ses habitants, au début de leur histoire, étaient tournés vers Shippagan où se dressait l'église. Il faudra attendre la fin des années 1830 pour que les premières familles de Lamèque érigent leur propre temple religieux, les identifiant encore plus à leur île.

Un bref aperçu démographique

Analyser l'évolution démographique de Lamèque pour la période d'avant la Confédération n'est pas chose simple. Les données démographiques de base (natalité, nuptialité, mortalité) sont inscrites dans les registres paroissiaux de Caraquet, puis dans ceux de Shippagan tenus à partir de

---

34. Requêtes de terres, Gloucester, Photocopies des originales au C.E.A., A1-1-3, A1-1-4 et A1-1-5.
35. BASQUE, Maurice, BOURGEOIS, Roy et KERRY, Debra, *Deux siècles de particularismes, Une histoire de Tracadie*, Tracadie, 1982, ouvrage inédit, copie au C.E.A., p. 19-20.
36. GALLANT, Patrice, *Michel Haché-Gallant et ses descendants*, Tome 2, Sayabec, 1970, p. 33.
37. SAVOIE, Francis, *L'Île de Lamèque, anecdotes, tours et légendes*, 2e édition, Moncton, Éditions d'Acadie, 1981, p. 9.

1824. Lamèque obtint son premier registre en 1840 et même alors, celui-ci comprenait des données pour les îles de Lamèque et de Miscou. De plus, les recensements provinciaux se faisaient à partir des paroisses civiles, et Lamèque n'était pas le centre le plus important ou le plus peuplé de sa paroisse civile.

À l'époque, plusieurs voyageurs visitaient l'Amérique du Nord et publiaient des comptes rendus de voyage. Certains d'entre eux donnaient des indications au sujet de la population des villages qu'ils avaient visités. Ceux qui vinrent dans la région de Lamèque laissèrent des indices pour permettre d'évaluer la population du village, mais surtout celle de l'île.

En 1761, après le raid de MacKenzie, un commerçant britannique, Gamaliel Smethurst nota qu'il y avait six familles acadiennes dans la région du grand Chipagan[38]. En 1772, un jésuite, le père de la Brosse, visita la péninsule acadienne pour y accomplir les devoirs de son ministère. Il s'arrêta chez les Micmacs de la rivière Pokemouche, mais ne fit aucune mention de présence blanche dans la région de Shippagan-Lamèque[39]. Les six familles qu'avaient remarquées Smethurst avaient sans doute quitté les lieux.

Lorsque Jean-Baptiste Robichaud vint s'établir au sud de l'île, vers 1790, il n'y aurait eu que les Duguay et leur beau-frère Mallet à Shippagan. Avant de s'y fixer, Robichaud pêchait pour les Robin. Pour se rendre jusqu'à Néguac, il avait emprunté le goulet de Shippagan et avait remarqué les terres inhabitées, le long du havre du grand Chipagan. Suivant l'exemple des Duguay et de Mallet,

---

38. GANONG, W.F., (edited by), A Narrative of an extraordinary escape out of the hands of the Indians in the Gulph of St. Laurent, *Collections of the N.B. Historical Society*, 1905, p. 369.
39. HÉBERT, Léo-Paul, "Le Père Jean-Baptiste de la Brosse à la Baie des Chaleurs", *Revue d'histoire et de tradition populaire de la Gaspésie*, no 52, oct.-déc. 1975, p. 179-180.

Robichaud quitta la Gaspésie et vint s'y établir[40].

D'autres pionniers vinrent se joindre à eux, mais la région ne connut pas d'immigration massive. Alexander Taylor, dans son rapport de 1803, ne signalait que cinq familles au grand Chipagan[41]. Pour la même région en 1808, le missionnaire Urbain Orfroy de Caraquet faisait état de treize familles françaises[42]. Si l'on en croit Mgr Plessis, évêque de Québec, la population du grand Chipagan connut une certaine croissance en 1812: "et les deux Chipâgans dont les habitants augmentent et donnent au missionnaire de Caraquet le double de l'occupation qu'ils lui donnaient autrefois[43]".

Il faut dire que le nord-est de la province était très peu peuplé. Plessis, en 1812, estima la population catholique acadienne de Tracadie à Restigouche à environ 1,000 âmes[44]. L'arrivée de nouvelles familles et les naissances chez les habitants du grand Chipagan, firent grimper quelque peu la population. Selon l'abbé Thomas Cooke, missionnaire à Caraquet de 1817 à 1824, la région comptait 40 habitants[45]. Vers 1828, la population augmentait encore, car on dénombrait alors environ 50 familles dans l'île de Lamèque et à Shippagan[46]. Quelques années plus

---

40. ROBICHAUD, Donat, *Les Robichaud, histoire et généalogie*, Bathurst, Séminaire Saint-Charles, 1964, p. 90.
41. RAYMOND, W.O., *Winslow papers AD 1776-1826*, St-Jean, New Brunswick Historical Society, Sun Printing Co., 1901, p. 501.
42. A.A.Q.N.B. VI-38 (Copie au C.E.A.).
43. PLESSIS, Joseph-Octave, Mgr, "Voyage de 1812 en Acadie de Mgr Plessis", *C.S.H.A.*, vol. 11, no 1-2-3, 1980, p. 63.
44. ROY, Michel, *L'Acadie des origines à nos jours, essai de synthèse historique*, Montréal, Québec-Amérique, 1981, p. 154.
45. THÉRIAULT, Léon, "Les missionnaires et leurs paroissiens dans le Nord-Est du Nouveau-Brunswick, 1766-1830", *Revue de l'Université de Moncton*, vol. 9, nos 2 et 3, octobre 1976, p. 43.
46. MacGREGOR, James, *Historical and Descriptive Sketches of the Maritimes Colonies of British America*, S.R. Publishers Ltd., Johnson Reprint Corporation, 1968, p. 180.

tard, soit en 1832, Robert Cooney parlait de 700 personnes, réparties sur les rives du havre de Shippagan[47].

Ces chiffres donnent une idée générale de l'évolution démographique du grand Chipagan au début de son histoire. Un document de 1837 nous permet d'être plus précis en ce qui concerne le village de Lamèque. Cette année-là, les habitants de l'île se cotisèrent pour faire l'achat d'une cloche pour leur église, église qui était en construction à Lamèque. Les Fruing, commerçants jersiais installés à la Pointe-Alexandre, leur en firent la vente. Le livre de comptes de la compagnie fournit une liste de 29 habitants de Lamèque qui payèrent pour la cloche[48]. On peut en déduire qu'il y avait donc une trentaine de familles catholiques dans les environs de Lamèque ou, comme on disait à l'époque, à la "Grande Amacque". Trois années plus tard, en 1840, eut lieu la première vente de bancs de l'église Saint-Urbain de Lamèque. Les chefs de famille qui en achetèrent furent en général les mêmes qui défrayèrent le coût de la cloche, soit environ une trentaine[49].

En 1851, le gouvernement du Nouveau-Brunswick créa la paroisse civile de Shippagan, qui comprenait le village de Shippagan et ses alentours, en plus des îles de Lamèque et de Miscou. En cette même année eut lieu le recensement provincial. On y fait état d'une population de 1,427 personnes pour cette paroisse[50]. Si l'on compare ces données avec celles de Cooney (700 personnes en 1832), on constate que la population avait doublé en vingt ans. Le recensement de 1861 compta 1,524 personnes pour la paroisse civile de Shippagan[51]. La population se stabilisait

---

47. COONEY, Robert, *op. cit.*, p. 180.
48. LEBRETON, Clarence, "Notes historiques sur la cloche de l'église de Lamèque, N.-B.", *R.H.S.H.N.D.*, vol. 3, no 2, avril-juin 1975, p. 9.
49. Livre de la Fabrique, in Registre Paroissial de Saint-Urbain de Lamèque, (copie au C.E.A.).
50. "Census of 1851", *J.H.A.N.B.*, 1852, p. X de l'appendice.
51. "Census of 1861", *J.H.A.N.B.*, 1862.

un peu plus, car l'immigration des premières années avait passablement diminué. L'évolution démographique allait maintenant largement dépendre du taux annuel de natalité, de nuptialité et de mortalité.

Il est intéressant d'examiner de plus près ce recensement provincial de 1861 car il nous donne des informations plus précises au sujet de Lamèque. En effet, pour ce recensement, la paroisse civile de Shippagan fut divisée en deux districts. Le premier, celui dit du nord, comprenait Miscou et l'île de Lamèque, moins les petits hameaux tout à fait au sud de celle-ci. L'énumérateur était Henry A. Sormany, Jersiais habitant Lamèque. Il mit cinquante-deux jours à parcourir les deux îles pour recenser la population qui y résidait[52]. Il compta 102 familles, soit environ 700 personnes vivant dans de petites communautés dont la principale était le village de Lamèque[53]. Ainsi, un peu moins de la moitié de la population totale de la paroisse civile de Shippagan habitait les îles.

De ces 700 personnes, la majeure partie était de descendance acadienne, mais la présence des Jersiais n'est pas à négliger. Avant la Confédération, on peut avancer que le village de Lamèque comptait environ 150 à 200 personnes. En 1855, l'île de Miscou ne comptait que 10 familles[54]. Le reste des 700 personnes habitaient Lamèque, le Petit-Shippagan et les autres petits villages de l'île.

Comme pour les autres villages de la péninsule acadienne, l'évolution démographique de Lamèque était sensible aux épidémies qui pouvaient faire des ravages dans ces petites communautés. L'espérance de vie au XIXe siècle

52. BROOKES, Alan A., "Doing the Best I Can: The taking of the 1861 New Brunswick Census", *Histoire Sociale - Social History*, vol. IX, no 17, mai 1976, p. 83.

53. *Recensement 1861, comté de Gloucester*, Fredericton, Centre de documentation de la S.H.N.D., A.P.N.B., 1980, (Paroisse civile de Shippagan, district No 1).

54. MONRO, Alexander, *New Brunswick; with a brief outline of Nova Scotia and Prince Edward Island*, Halifax, Richard Nugent, 1855, p. 194.

n'était que de 45-50 ans[55], alors qu'aujourd'hui on peut atteindre assez facilement le cap de 70-75 ans. De plus, le taux de mortalité chez les jeunes enfants était très élevé. Pour la seule année 1848, le registre paroissial de Lamèque fait mention de six enfants décédés avant d'atteindre l'âge de 4 ans. Il ne faut pas oublier que le missionnaire de passage n'enregistrait pas toujours le décès des enfants âgés de moins de douze mois. Pour un petit village comme Lamèque, la mort de six enfants dans une seule année représentait un obstacle sérieux à l'accroissement de la population.

La situation économique n'encourageait pas non plus une augmentation du nombre des habitants de l'endroit. Une dépression frappa l'économie du Nouveau-Brunswick au milieu du XIXe siècle. Elle se fit sentir durement entre 1847 et 1849. Des départs furent signalés à Caraquet, Shippagan et ailleurs[56]. Des Acadiens abandonnaient leur village pour aller chercher fortune dans le Canada central ou en Nouvelle-Angleterre. Il est possible que des gens aient quitté Lamèque, mais ils ne furent pas très nombreux.

Epidémies, noyades, mortalité infantile, malaise économique, tous ces facteurs contribuèrent à limiter la population. Comme ceux de Tracadie[57], les habitants de Lamèque, concentrés sur les terres des baies de Lamèque et Petite-Lamèque, connurent une croissance démographique marquée par la lenteur mais aussi par la constance. Les gens de l'île se mariaient généralement entre eux car ils étaient coupés du reste de la péninsule par la mer. Quelques-uns allaient chercher des épouses à Shippagan,

55. BRUN, Régis S., *De Grand-Pré à Kouchibougouac, L'histoire d'un peuple exploité*, Moncton, Éditions d'Acadie, 1982, p. 110-111.
56. *Ibid.*, p. 94.
57. BASQUE, Maurice, BOURGEOIS, Roy, *op. cit.*, p. 42.

Caraquet ou Miscou, mais ils faisaient exception à la règle*. Cette situation fit naître un sentiment d'appartenance caractéristique des milieux insulaires.

Le phénomène politique à Lamèque avant 1867

La province du Nouveau-Brunswick fut créée en 1784. Quelques années plus tard, l'île de Lamèque recevait ses premiers pionniers. Au début de son histoire, Lamèque faisait partie du comté de Northumberland qui comprenait alors tout le nord-est et le nord du Nouveau-Brunswick.

L'organisation de l'administration locale de la nouvelle province fut dominée par la tradition britannique. Le territoire fut divisé en comtés, chaque comté étant sous-divisé en paroisses civiles. Lamèque et ses habitants relevaient de la paroisse d'Alnwick, créée en 1786, laquelle s'étendait de la paroisse civile de Newcastle jusqu'au nord de la province[58].

Pour assurer le bon fonctionnement des paroisses civiles, le gouvernement provincial institua en 1786 les "Justices of the General Sessions of the Peace", des assemblées de juges de paix pour chaque comté. Ceux-ci avaient la responsabilité de nommer pour chaque paroisse, les officiers civils suivants: un commis, un administrateur des fonds pour les pauvres, des constables, un commis du marché, un inspecteur des clôtures, un inspecteur des pêcheries, etc.[59] Ce ne fut qu'en 1802 que le grand Chipagan reçut ses premiers officiers civils[60].

Dans la première moitié du XIXe siècle, les transformations dans les frontières des paroisses civiles furent

---

* L'index des mariages de Lamèque, publié par la Société historique Nicolas Denys en est un bon témoin.

58. *Statutes of New Brunswick, 1786-1836*, Fredericton, King's Printer, 1838, p. 9.

59. BASQUE, Maurice, BOURGEOIS, Roy, *op. cit.*, p. 60.

60. ROBICHAUD, Donat, *Le Grand Chipagan ...*, *op. cit.*, p. 36.

nombreuses. Lamèque fut successivement située dans la paroisse civile de Saumarez, créée en 1814 (elle comprenait alors toute la péninsule acadienne), dans celle de Caraquet, fondée en 1834 (elle comprenait alors Caraquet, Shippagan et les îles) et finalement dans celle de Shippagan, établie en 1851[61].

Avec l'augmentation de la population du nord de la province, le comté de Northumberland était devenu trop vaste. En 1826, les habitants des paroisses civiles de Beresford et Saumarez envoyèrent une requête à Fredericton demandant la création d'un nouveau comté[62]. La même année, la province créait le comté de Gloucester, avec son chef-lieu ou shiretown à Bathurst.

Comment les affaires politiques influençaient-elles la vie quotidienne à Lamèque avant 1867? Des habitants de ce village firent partie du corps des officiers civils de leur paroisse, quoique l'élite de Shippagan monopolisait souvent les postes les plus importants[63]. Lamèque eut probablement son premier juge de paix en la personne d'Henry A. Sormany. Celui-ci s'occupait de régler les petits conflits qui opposaient les habitants. Ainsi, en 1866, le constable Jean-Baptiste Duguay fit l'arrestation de Marcel Boudreau qui se présenta devant Sormany pour répondre aux accusations de Fabien Haché concernant un défaut de paiement[64].

En plus de régler ces conflits, le juge de paix de la région devait donner son approbation aux requêtes de terres des colons. En s'installant sur un lopin de terre, le pionnier devait demander une concession à Fredericton*. Ainsi, le

---

61. WYNN, Graeme, "New Brunswick Parish Boundaries in the pre-1861 census years", Documents, *Acadiensis*, vol. 6, no 2, Spring 1977, p. 95-105.
62. Politique-Gloucester-1826, C.E.A., A1-5-15.
63. ROBICHAUD, Donat, *Le Grand Chipagan...*, *op. cit.*, p. 136-142.
64. Fonds Clarence LeBreton, 503-1-2, C.E.A.
* Nous remercions Mme Patricia Gallant pour nous avoir fourni de précieux renseignements au sujet des concessions de terres de Lamèque.

6 mai 1830, Joseph Guignard recevait un lot sur la côte nord-ouest de la baie de Lamèque. L'année suivante, soit le 25 mai 1831, Hubert Poulan (Paulin) se voyait octroyer une terre "(...) on the edge of the bank of the easterly side of Grande Amac[65]".

Autre problème politique: les routes. L'absence de route principale dans l'île de Lamèque freinait son développement économique interne[66]. Les routes relevaient du gouvernement provincial, et le patronage politique s'en mêlait. Fredericton ne déboursait pas beaucoup pour Gloucester. En 1814, William Ferguson, juge de paix à Tracadie, s'en plaint: "At present, as time go, there is no money to be had on any occasion in this part of the province. The people here are in general Poor and behind hand with the merchants[67]". En plus d'être exploités par les commerçants jersiais, les habitants des îles de Lamèque et de Miscou étaient éloignés du centre administratif de la province, à une époque où les moyens de communication étaient insuffisants. Gary Hughes va jusqu'à comparer ces deux îles à un état féodal, dominé par les Jersiais[68].

On devra attendre les années 1860 pour la construction d'une route d'accès au traversier Shippagan/Lamèque[69]. Ces traversiers étaient d'une grande importance car ils assuraient un contact quotidien entre l'île et Shippagan. Un premier reliait Shippagan au village des Robichaud (Savoy Landing), un autre à la Pointe-Alexandre et un dernier au village de Lamèque[70]. Le métier de passeur devenait donc essentiel et donnait un revenu intéressant à celui qui l'exerçait.

---

65. "Concessions de terres, comté de Gloucester, N.-B.", *A.P.N.B.*, F. 1351, no 2609 et no 2759.
66. HUGHES, Gary, "Two Islands and their State of Bondage, Lamèque and Miscou, 1849-61", *Journal of the New Brunswick Museum*, 1978, p. 45.
67. RAYMOND, W.O., *Winslow papers*, *op. cit.*, p. 688.
68. HUGHES, Gary, *op. cit.*, p. 50.
69. *Ibid.*, p. 41.
70. ROBICHAUD, Donat, *Le Grand Chipagan...*, *op. cit.*, p. 139.

Lamèque ne fut pas le seul cas d'insouciance gouvernementale dans le comté de Gloucester. On remarque la même situation à Tracadie[71]. La corruption n'était pas étrangère à ce manque de subsides provinciaux. James Blackhall et John Young de Caraquet ne se firent-ils pas ordonner de payer la somme de L50 pour n'avoir pas construit un pont sur la rivière Caraquet, travail pour lequel ils avaient reçu des fonds de la province[72]? Les représentants élus défendaient leurs propres intérêts et ceux des puissantes compagnies de pêche. En 1862, les habitants de Lamèque, comme ceux du reste du comté, apprirent que le député Robert Young voulait créer un autre comté, qui comprendrait les paroisses civiles de Caraquet, Shippagan, Inkerman et Saumarez. Des membres du clergé catholique et les Robin avaient donné leur appui à ce projet. Il est clair que les intérêts commerciaux de Young et des Robin n'étaient pas étrangers à cette idée. Young aurait pu devenir l'unique représentant du nouveau comté et détenir le monopole du pouvoir politique. Il aurait pu ainsi mieux exploiter son entreprise commerciale. Cependant, son projet fut battu en Chambre[73].

Avant la Confédération, Lamèque, comme les autres villages de la péninsule, ne connut pas une vie politique brillante. Corruption et exploitation étaient les règles du jeu. Les Fruing, ces commerçants jersiais établis à la Pointe-Alexandre vers 1832, ne rougissaient pas devant l'exploitation des pêcheurs de la région; ils tenaient le territoire sous leur joug. L'endettement progressif des pêcheurs auprès de leur compagnie garantissait à celle-ci un pouvoir quasi-absolu. Les Fruing n'avaient pas intérêt à développer l'île et à rendre ses habitants plus indépendants. Moins le gouvernement provincial intervenait dans

---

71. BASQUE, Maurice, BOURGEOIS, Roy, *op. cit.*, p. 64.
72. *J.H.A.N.B.*, 1833, p. 82.
73. HUGHES, Gary, *op. cit.*, p. 38-39.

les affaires de Lamèque, plus les Fruing pouvaient s'enrichir aux dépens de la population locale.

La situation n'était certes pas des plus roses. Sur la scène politique, reste à examiner les élections. Malgré leurs problèmes socio-économiques, les habitants de Lamèque pouvaient tout de même voter et élire des candidats qui seraient plus attentifs à leurs difficultés. Comme les autres catholiques, tels les Irlandais, les Acadiens ne reçurent le droit de vote aux Maritimes qu'en 1810, et celui de se présenter comme candidats aux élections qu'en 1830[74]. À sa création en 1826, Gloucester avait droit à un représentant élu à Fredericton. Des élections eurent lieu en juin 1827, mais le seul candidat, Hugh Munro, un anglophone presque francophobe de Bathurst, fut élu par acclamation. En 1834, Gloucester vit son nombre de députés doubler, mais la scène électorale n'en devint pas plus vivante. Les Acadiens, pourtant majoritaires, se laissèrent mener par des députés anglophones élus par acclamation aux élections de 1834, 1837, 1842 et 1846[75].

L'élection de décembre 1842 aurait dû revêtir un caractère particulier pour Lamèque. En effet, le gérant des Fruing de l'endroit, Joshua Alexandre, devint l'un des deux députés élus par acclamation. Jersiais, né en 1802, il était devenu gérant de la firme des Fruing à la Pointe-Alexandre en 1832. Sa soeur avait épousé le propriétaire de l'entreprise, William Fruing. De 1842 à 1846, date à laquelle il se retira de la vie politique active, Joshua Alexandre ne fit pas de grands efforts pour améliorer la condition de vie de ses compatriotes de Lamèque. Ses intérêts dans le domaine des pêches prirent vite le dessus. Anglican, il demeurait à l'écart de la majorité catholique de l'endroit. Il décéda en 1859, à l'âge de 57 ans, et fut

---

74. DOUCET, Philippe, "La Politique et les Acadiens" in *Les Acadiens des Maritimes*, Moncton, C.E.A., 1980, p. 246.
75. GRAVES, James et al., *New Brunswick Political Biography*, vol, IX, MLA's Carleton, Gloucester and Kent Co.

enseveli à Shippagan. À ses funérailles, sa dépouille mortelle fut portée par trois capitaines et trois matelots et fut suivie par soixante hommes, employés de la firme des Jersiais[76].

Malgré le fait que le député venait de la région, Lamèque ne put réussir à obtenir de précieux subsides de Fredericton. Cet exemple confirme encore une fois le fait que les députés cherchaient à protéger leurs propres intérêts et se servaient de leur position politique pour y parvenir. Toute une série de cliques tournaient autour des députés pour s'assurer des fonctions d'officiers civils. C'est ainsi que J.N. Dumaresque reçut de bons postes payants à Shippagan[77].

Le journal *The Gleaner* de Chatham nous fournit des données électorales pour les élections du comté de Gloucester à partir de 1850. On peut comparer les résultats de Shippagan à ceux des autres villages acadiens. Il semblerait que les électeurs de Lamèque votèrent au bureau de scrutin de Shippagan jusqu'en 1865, date à partir de laquelle ils purent voter dans leur village. Ainsi les chiffres pour Shippagan peuvent donner une idée générale du vote pour ce village ainsi que pour les îles de Lamèque et de Miscou. Les grands débats de l'heure touchèrent-ils vraiment les gens de notre région? Il ne faut pas oublier qu'une bonne partie de la population demeurait illettrée. L'influence du clergé catholique sur le vote de leurs ouailles n'est pas non plus à négliger.

Il serait intéressant de voir si les gens de la région de Shippagan-Lamèque supportèrent les candidats victorieux aux élections provinciales de 1850 à 1867. Lors de l'élection de juin 1850, Robert Gordon et Joseph Reade sortirent victorieux dans Gloucester. Les candidats perdants furent William End et Théophile Desbrisay. Le

---

76. *Ibid.*
77. HUGHES, Gary, *op. cit.*, p. 34.

bureau de scrutin de Shippagan releva 31 voix en faveur de End, alors que Gordon en reçut 12 et Reade, 27. Cette popularité de End chez les Acadiens fut évidente aux trois bureaux de scrutin de Caraquet, aux deux de Pokemouche mais pas à celui de Tracadie[78]. On peut imaginer la sympathie qu'avait Robert Gordon pour le grand Chipagan en voyant que la population lui avait préféré William End...

En 1854, Shippagan fut témoin d'un curieux incident. William End et Patrick McNaughton furent élus dans Gloucester. Cependant, l'électorat des îles ne put voter, car John Doran, responsable du bureau de scrutin de Shippagan, n'ouvrit même pas ce bureau aux électeurs de la région. Les candidats élus s'en plaignirent à Fredericton[79]. Des cris de fraude électorale se firent entendre et le député battu, Joseph Reade, accusa même End et McNaughton de fourberie[80]. Cet incident laisse voir que la vie politique dans Gloucester n'était pas des plus honnêtes et des plus saines.

Lors de l'élection de 1857, les résultats de la région de Shippagan-Lamèque concordèrent avec ceux de New Bandon, Pokemouche et Tracadie. Comme l'indique ce tableau, toute la péninsule, à l'exception de Caraquet, donna sa préférence au candidat vaincu, Patrick McNaughton.

Cependant, en 1861, la région de Shippagan-Lamèque se dissocia des autres villages de la péninsule acadienne en ce qui concerne les résultats électoraux. Les candidats victorieux furent Robert Young de Caraquet et John Meahan. William End fut défait. Alors que Caraquet, Inkerman et Saumarez (Tracadie) votèrent majoritairement pour Robert Young, Shippagan accordait 82 voix sur un total

---

78. *The Gleaner*, July 9, 1950, p. 294.
79. *J.H.A.N.B.*, 1855, p. 103.
80. *J.H.A.N.B.*, 1855, p. 15.

Élection de mai 1857[*]

	Reade (élu)	End (élu)	McNaughton
Tracadie	83	78	75
Pokemouche	83	67	48
Shippagan	56	54	28
Caraquet	17	16	225
New Bandon	77	67	82

de 180 à William End[81]. Il est possible que la bonne entente qui existait entre Young et les Robin, firme rivale des Fruing, puisse expliquer en partie ces résultats. Henry A. Sormany raconte que Shippagan se pavoisa de drapeaux blancs avec les noms des candidats End and Meahan, juste avant l'ouverture du bureau de scrutin. Un homme du bas du comté, portant un drapeau où était inscrit le nom de Robert Young, fut attaqué et son drapeau jeté par terre. S'en suivit une rixe[82]. L'animosité qui régnait contre Young à Shippagan n'était pas discrète.

À l'été de 1865, les habitants du Nouveau-Brunswick se virent proposer d'accepter ou de refuser le projet de la Confédération canadienne. Le premier ministre de la province, Leonard Tilley, était favorable à ce projet et il demanda à l'électorat le mandat de négocier l'entrée du Nouveau-Brunswick dans la nouvelle union. La popula-

---

[*] *The Gleaner*, May 16, 1857, p. 7.
81. *The Gleaner*, June 22, 1861, p. 7.
82. Fonds A.M. Sormany, 25.6-2, C.E.A.

tion le lui refusa[83]. Dans Gloucester, les candidats opposés à la Confédération, Robert Young et John Meahan, furent élus avec des majorités écrasantes. À Lamèque, les résultats furent semblables à ceux des autres localités de la région[84].

En 1866, une autre élection eut lieu au sujet du projet de Confédération. Cette fois-ci, la majorité anglophone de la province vota en faveur du projet alors que les comtés acadiens demeurèrent opposés à l'idée d'une union. On ne connaît pas encore précisément le pourquoi de cette prise de position. Lamèque, en juin 1866, vota encore contre la Confédération[85]. Pourtant, le haut-clergé catholique, en 1866, s'était rallié à l'idée d'une union confédérale. Suivant l'exemple de l'archevêque Connolly d'Halifax, l'évêque James Rogers de Chatham* fit distribuer une circulaire au clergé de son diocèse prônant un vote pour la Confédération[86].

Quoi qu'il en soit, le vote des Acadiens fut négatif[87] et ils entrèrent malgré eux dans la Confédération canadienne en juillet 1867. Qu'allait représenter ce changement politique pour Lamèque? Peu de choses, car les compagnies de pêche continuèrent à dominer la région, malgré l'existence d'un palier de gouvernement supérieur, celui du gouvernement fédéral d'Ottawa. Il faudra attendre l'arrivée des compagnies de pêche américaines dans la baie des Chaleurs, au cour des premières décennies du XXe siècle, pour assister enfin à un déblocage socio-économique et politique**.

---

83. DOUCET, Philippe, *op. cit.*, p. 250.
84. *The Gleaner*, March 11, 1865, p. 2.
85. *The Gleaner*, June 16, 1866, p. 2.

* La péninsule acadienne faisait alors partie du diocèse de Chatham.

86. DOUCET, Philippe, *op. cit.*, p. 255.
87. *Ibid.*

** Ces conclusions concordent avec celles trouvées par Nicolas Landry dans sa récente thèse de maîtrise en histoire: "Aspects socio-économiques des régions côtières de la péninsule acadienne 1850-1900", Université de Moncton, 1983.

L'éducation

Lorsque les pionniers arrivèrent à Lamèque et tentèrent de recommencer une nouvelle vie, l'éducation ne fut pas une de leurs priorités. Ils devaient, avant toute chose, apprendre à utiliser les ressources naturelles de leur nouveau milieu pour s'assurer une existence au moins tolérable. "Comment pouvait-on songer à cultiver les esprits quand on n'avait pas encore réappris à cultiver la terre[88]". Ce mot de Louis Haché, glissé dans l'un de ses romans, explique, en termes non-équivoques, la situation scolaire qui prévalait alors dans la péninsule acadienne.

Le gouvernement du Nouveau-Brunswick essaya d'établir un système d'éducation pour l'ensemble de la province, mais Lamèque, éloignée du centre administratif, ne reçut presque aucun subside durant la première moitié du XIXe siècle. Dans chaque comté, la responsabilité du système scolaire était de la compétence des juges de paix. Néanmoins, ces derniers avaient bien d'autres projets qu'ils jugeaient prioritaires, et l'éducation en souffrit beaucoup[89].

Qui allait donc s'occuper de l'éducation? Les premiers missionnaires dispensèrent sans doute un certain enseignement de base auprès de leurs ouailles. L'abbé Thomas Cooke, en 1819, fit ce commentaire au sujet de la population du grand Chipagan: "(...) la jeunesse croît sans instruction et les gens se débauchent(...)[90]". Ce tableau peu flatteur correspondait à la réalité, en ce qui concerne l'instruction, pour bien d'autres villages de la péninsule. Il n'est pas étonnant de constater que des jeunes mariés, étant donné leur peu d'instruction, ne pouvaient signer le registre paroissial à l'occasion de leur mariage et qu'ils

88. HACHÉ, Louis, *Adieu, P'tit Chipagan*, Moncton, Éditions d'Acadie, 1978, p. 57.
89. ROY, Thérèse B., *L'Évolution de l'enseignement chez les Acadiens du Nouveau-Brunswick, 1755-1855*, Mémoire pour la Maîtrise en éducation, Université de Moncton, 1972, p. 60.
90. THÉRIAULT, Léon, "Les Missionnaires...", *op. cit.*, p. 43.

devaient se contenter de tracer gauchement un **X**.

En 1833, John Doran reçut la responsabilité, comme premier syndic scolaire de Shippagan, d'organiser une école dans cette communauté[91]. On ne sait si les habitants de Lamèque y envoyèrent leurs enfants, surtout que les instituteurs étaient principalement anglophones. Il est fort probable qu'ils y soient peu allés, car les pêcheries exigeaient une main-d'oeuvre importante; de plus les jeunes garçons devaient exercer assez tôt leur métier de pêcheur.

Des maîtres ambulants, ces pionniers de l'éducation dans les villages acadiens, assurèrent un certain service pédagogique. Pour la région du grand Chipagan, il y eut Daniel LeBlanc, originaire du comté de Kent, qui enseigna à partir de 1849. Il dispensait son enseignement chez les habitants[92]. Charles LaFrance, frère du curé F.X. LaFrance de Tracadie, enseigna au village des Robichaud de 1852 à 1854[93]. Un Belge, Charles Brisson, s'occupa aussi de l'éducation dans ce même village, allant de maison en maison. On lui attribua la réputation d'être un enseignant autoritaire mais très respecté[94].

Le premier enseignant à Lamèque fut sans doute le Jersiais Henry A. Sormany. Lecture française, épellation, arithmétique, histoire et géographie figuraient parmi les sujets qu'il enseignait[95]. Il ouvrit son école en 1859. L'année précédente, soit en 1858, la paroisse civile de Shippagan ne comptait qu'une seule école avec 24 élèves sur une population scolaire possible de 505[96]. De plus, cette école était bilingue.

La situation scolaire n'était donc pas très brillante. En 1859 le rapport provincial sur l'éducation déclarait au

91. ROBICHAUD, Donat, *Le Grand Chipagan...*, *op. cit.*, p. 101.
92. *Ibid.*, p. 123.
93. *Ibid.*, p. 126.
94. *Ibid.*, p. 131.
95. SAVOIE, Alexandre-J., *op. cit.*, p. 14.
96. ROBICHAUD, Donat, *op. cit.*, p. 101.

sujet des deux écoles du grand Chipagan: "Neither has yet attained any degree of success, but one of them has within it the germs of improvement[97]". Le recensement de 1861 fournit quelques détails au sujet du niveau d'éducation de la population de Lamèque. Si l'on prend le qualificatif "scholar" du recensement comme étant une indication de l'éducation d'un individu, on s'aperçoit vite qu'un faible pourcentage de la population savait lire et écrire[98]. Sans aller jusqu'à dire que Henry A. Sormany était le seul capable de lire et écrire à Lamèque[99], nous devons constater qu'avant la Confédération, l'éducation n'était pas prioritaire. Les enfants suivaient leurs parents aux champs ou en mer. Le temps nécessaire pour recevoir une bonne instruction était monopolisé par le travail, activité essentielle à la survie. Lamèque ne constitua pas un cas isolé. La paroisse civile de Saumarez (Tracadie), avec une population plus importante que celle de Shippagan, ne comptait qu'une seule école en 1867[100].

L'arrivée de congrégations religieuses dans la péninsule acadienne allait exercer une influence positive sur l'éducation, puisque ces congrégations dispensaient un enseignement à partir de leurs couvents. De plus, la population en général semblait s'intéresser un peu plus à l'instruction; d'une part à cause de l'amélioration du niveau de vie et, d'autre part, à cause de l'accent particulier que la nouvelle élite acadienne, par le biais des grandes conventions, mettait sur l'urgente nécessité d'alphabétiser les Acadiens.

La religion

L'une des caractéristiques principales de la réalité religieuse acadienne du début du XIXe siècle était le manque

---

97. *J.H.A.N.B.*, 1860, p. 145 à l'appendice.
98. *Recensement 1861, comté de Gloucester...*, *op. cit.*
99. SAVOIE, Francis, *L'Île de Lamèque...*, *op. cit.*, p. 14.
100. *J.H.A.N.B.*, 1867, p. XVIII de l'appendice.

de prêtres. En effet, en 1800, il n'y avait que quatre prêtres pour desservir les catholiques du Nouveau-Brunswick[101]. Le petit village de Lamèque, avec sa faible population, n'osait espérer la présence d'un curé résident. Malgré l'absence d'ecclésiastiques, les habitants de l'endroit s'organisèrent entre eux pour célébrer leur culte. Les Acadiens avaient un grand respect pour le sacré[102], et il semble que la religion fut un sujet qui préoccupa grandement les pionniers du grand Chipagan.

À ses débuts, Lamèque dépendait, sur le plan religieux, de Shippagan où se dressait une église depuis 1823[103]. Cependant, Shippagan n'était que desserte de la paroisse-mère, Caraquet, fondée en 1788. C'est à Caraquet que résidaient les missionnaires envoyés par l'évêque de Québec*. Les résidents de Lamèque participaient activement à la vie religieuse du grand Chipagan. Plusieurs d'entre eux, tels Jean-Chrysostôme Chiasson, Fabien Haché et Hubert Paulin[104], occupaient les premiers bancs de l'église de Shippagan.

Lorsque Mgr Plessis, évêque de Québec, vint à Caraquet en 1811, certains catholiques de Lamèque y emmenèrent leurs enfants pour qu'ils puissent recevoir le sacrement de la confirmation. Parmi ceux qui reçurent ce sacre-

101. THÉRIAULT, Léon, "Les Missionnaires...", *op. cit.*, p. 36.
102. DUPONT, Jean-Claude, *Héritage d'Acadie*, Montréal, Leméac, 1977, p. 75.
103. ROBICHAUD, Donat, *op. cit.*, p. 73.
* Au début du XIXe siècle, Lamèque, comme les autres villages catholiques du Nouveau-Brunswick, dépendait du diocèse de Québec. En 1829, l'évêque de Charlottetown devint pleinement autonome. Notre province faisait partie de son diocèse, mais le clergé francophone continua à correspondre avec les officiels religieux de Québec, les titulaires des évêchés des Maritimes étant des catholiques anglophones. En 1842, Rome érigea le Nouveau-Brunswick en diocèse. Un prêtre irlandais, William Dollard, fut choisi comme premier évêque et il fixa sa résidence à Fredericton. Dans les années 1850, le siège épiscopal déménagea à Saint-Jean. Le nombre croissant de catholiques au nord de la province provoqua l'érection du diocèse de Chatham en 1860. Un autre prêtre irlandais, James Rogers, devint évêque. La péninsule acadienne faisait partie de ce diocèse. Finalement, en 1938, le siège épiscopal de Chatham fut transféré à Bathurst.
104. *Ibid.*

ment, on remarque les noms de Marie-Claire et Marguerite Duclos, filles de Pierre Duclos, et de Marie-Geneviève et Pierre Michel, enfants de Michel Guignard[105].

La construction d'une église, tout au moins d'une chapelle, était sans doute une priorité pour le village. Lamèque, qui voyait ses habitants aller participer aux cérémonies religieuses à Shippagan, décida d'ériger son propre temple religieux. Il semble que le charpentier François Haché de Caraquet et son fils reçurent le contrat pour superviser la construction de cette église, construction qui débuta en 1835[106]. Jean-Chrysostôme Chiasson donna une partie de sa terre pour l'emplacement de cette première église, construite en bois. Le premier presbytère fut construit vers 1840[107]. L'église et la paroisse furent placées sous le vocable de saint Urbain. Cette décision fut sans doute motivée par le souvenir de l'abbé Urbain Orfroy, missionnaire à Caraquet de 1806 à 1810[108].

Il paraît nécessaire de glisser quelques mots au sujet de l'immense travail que devaient accomplir les premiers missionnaires de Caraquet, responsables du territoire s'étendant de Bathurst à la Miramichi. La superficie de la paroisse ne leur permettait que de petits séjours dans chaque village. Même lorsque Shippagan obtint un curé résident en 1856, ce dernier ne venait à Lamèque qu'une fois tous les trois ou quatre mois[109]. En l'absence de prêtres, certains hommes respectés du village s'occupaient du culte. Ces laïcs présidaient des messes blanches, assemblées religieuses où les fidèles récitaient des prières. Ce fut le cas

---

105. THÉRIAULT, Fidèle, "Document, les confirmés de 1811", *R.H.S.H.N.D.*, vol. 3, no 4, oct.-déc. 1975, p. 51.
106. THÉRIAULT, Fidèle, "François Haché (1778-1845)", *R.H.S.H.N.D.*, vol. 4, no 1, jan.-avril 1976, p. 39.
107. OUELLETTE, Edmond, *Album-souvenir, Église Saint-Urbain, Lamèque, N.-B.*, Edmundston, April et Fortin Ltée, 1951, p. 29.
108. *Ibid.*, p. 21.
109. Fonds A.M. Sormany, 25-6-2, C.E.A.

d'Henry A. Sormany à Lamèque[110]; sa bonne éducation lui mérita cette position.

Donc, en 1840, Lamèque avait son église qui dépendait du missionnaire de Caraquet et, à partir de 1856, du curé de Shippagan. Des marguilliers ou syndics étaient élus par les catholiques de l'endroit pour administrer les biens de la paroisse. Le livre de la Fabrique* de la paroisse Saint-Urbain de Lamèque nous donne les noms de ces premiers marguilliers. On y retrouve Fabien Haché (le seul qui pouvait signer son nom), Frédéric Chiasson, Paul Noël, Hubert Paulin, Pierre Duguay, Moïse Haché, etc. Ces derniers étaient sans doute des personnages de premier plan au village, un genre de petite élite locale. Ils servaient en quelque sorte de bras droit du missionnaire. Lors de la première vente de bancs de l'église de Lamèque, on les retrouve aux premiers rangs, comme l'indique la liste ci-dessous:

Vente de bancs de l'Église St-Urbain de Lamèque, le 27 janvier 1840**

Côté de l'Évangile	Côté de l'Épitre
1. Pierre Duguay	1. Fabien Haché
2. David Haché	2. Hubert Paulin
3. J.L. Duguay	3. Paul Noël
4. Bruno Haché	4.-
5. Gilbert Duguay	5. Frédéric Chiasson
6. Thomas Haché	6. Joseph Chiasson
7. Amable Noël et Jos. Noël	7. André Haché et Jos. Brazeau
8. Loué	8. Loué

---

110. SAVOIE, Alexandre-J., *op. cit.*, p. 16.

* Une copie de ce document est déposée au C.E.A. C'est celle que nous avons consultée.

** Ce document est tiré du livre de la Fabrique de la paroisse de Lamèque.

Petite allée, côté de l'Évangile	Petite allée, côté de l'Épitre
1. Anthime Haché	1. Sébastien Haché
2. Charles Duguay	2. J.B. Guignard
3. Moïse Duguay	3. Jos. Guignard
4. Lozare Chiasson	4. Jacques Noël
5. Pierre Guignard	5. Jean Duclos
6. Gilbert Landry	6. Eloi Duclos
7. Loué	7. Jos. Savoie et Ed. Savoie
8. Loué	8. Loué

Ces bancs d'église et leur vente posaient des problèmes pour l'époque. Le 20 janvier 1840, les marguilliers de Lamèque, lors d'une assemblée présidée par l'abbé Hector Antoine Drolet, curé de Caraquet, établirent un règlement en onze points concernant les bancs[111].

Jusqu'en 1887, date de l'arrivée du premier prêtre résident à Lamèque, ce village n'eut pas d'ecclésiastique permanent. Nous donnons ici la liste des prêtres qui desservirent la région avant la Confédération*.

Joseph Mathurin Bourg	1790-1795
Jean-Baptiste Castanet	1795-1797
Louis Joseph Desjardins	1797-1798
René Pierre Joyer	1798-1806
Urbain Orfroy	1806-1810
François Mathias Huot	1810-1813

111. OUELLETTE, Edmond, *op. cit.*, p. 30.
* Cette liste provient de l'ouvrage de Mgr Donat Robichaud, *Le Grand Chipagan*, et des registres des paroisses St-Jérôme de Shippagan et St-Urbain de Lamèque.

Philippe-Auguste Parent	1813-1817
Thomas Cooke	1817-1824
François de Bellefeuille	1824-1829
Louis Théophile Fortier	1829-1831
J.N. Couture	1831-1833
H. McHurron	1833-1837
Jean-Marie Madran	1837-1838
Hector Antoine Drolet	1838-1848
Joseph-Marie Paquet	1848-1856
Victor Clérouin*	1856-1858
J.A. Mooney	1858-1863
James Patterson	1864
Jos. André Roy	1865-1868

Cette liste démontre bien que le clergé était surtout français, canadien-français et quelquefois irlandais. Vers la fin du XIXe siècle, la péninsule recevra des prêtres acadiens.

La vie religieuse à Lamèque n'était pas entièrement dominée par l'élément catholique romain. Certains Jersiais étaient de religion protestante. Miscou et Shippagan comptaient aussi des protestants, surtout parmi leurs habitants anglophones. Joshua Alexandre, député de Gloucester de 1842 à 1846, était protestant et appartenait à l'Église d'Angleterre. En 1842, avec d'autres protestants de Shippagan, il fit l'achat d'un terrain pour ériger une église qui fut construite en 1843[112].

Grâce au recensement provincial de 1861, il est possible de chiffrer la population protestante de la paroisse

---

* Premier curé résident de Shippagan.

112. DEGRÂCE, Eloi, "L'Église United Church de Shippagan", *R.H.S.H.N.D.*, vol. 5, no 1, jan.-mars 1977, p. 4.

civile de Shippagan. On comptait 1,376 catholiques romains, 121 épiscopaux et 27 presbytériens[113]. Il est curieux de constater, dans ce même recensement, que des Acadiens et des Canadiens-français de Lamèque figurent parmi les membres de l'Église d'Angleterre. Fut-ce une erreur du recenseur Henry A. Sormany ou ces francophones se convertirent-ils vraiment au culte anglican? Si erreur il y a, elle apparaît assez souvent[114]. La présence des Jersiais protestants ne fut peut-être pas étrangère à ces supposées conversions. Lorsque Henry A. Sormany vint à Lamèque dans les années 1850, il devait occuper un poste de commis chez les Fruing. Cependant, en apprenant que Sormany était catholique, Joshua Alexandre, gérant de cette entreprise, le relégua au simple rang de journalier[115]. En devenant protestant, un catholique augmentait ses possibilités de mobilité sociale.

Quoi qu'il en soit, ces quelques noms francophones parmi les protestants sont bien l'exception à la règle. En effet, Lamèque demeurait un village presque entièrement catholique. Il serait intéressant d'étudier plus en profondeur la situation religieuse du village avant 1867, pour voir par exemple si ceux qui occupaient les postes de marguilliers jouissaient d'une situation sociale et économique plus enviable que celle de leurs compatriotes. Vingt ans après la Confédération, soit en 1887, Lamèque allait recevoir son premier curé, devenant ainsi pour plusieurs décennies la capitale religieuse des petits villages des îles de Lamèque et de Miscou.

Une économie axée sur les pêcheries

La caractéristique principale de l'économie de Lamèque est sans contredit le rôle prépondérant des pêcheries. Le village, situé dans une île aux sols assez ingrats,

---

113. "Census of 1861", *J.H.A.N.B.*, 1862.
114. *Recensement 1861, comté de Gloucester, op. cit.*
115. SAVOIE, Alexandre-J., *op. cit.*, p. 13.

eut naturellement une vocation économique maritime. MacGregor le nota en 1828 en écrivant que l'occupation première des habitants de l'île était la pêche et que ces mêmes gens consacraient assez peu d'effort et d'énergie à la culture du sol[116].

Les Robin connaissaient l'immense potentiel des ressources en poissons de la baie des Chaleurs et du golfe du St-Laurent. Ce fut la raison pour laquelle ils y transportèrent de France des familles acadiennes afin que celles-ci puissent se mettre à leur service[117]. Les pêcheurs employés par les Robin ne devaient vendre leurs prises qu'à ces derniers. Cependant, une autre firme fit son apparition dans la baie des Chaleurs. D'autres Jersiais, les Fruing, vinrent s'installer à la Pointe-Alexandre vers 1832. Ils puisèrent leur clientèle dans celle des Robin[118]. Ceux-ci avaient presque le monopole des pêcheries dans la région, mais il y avait quand même de la place pour d'autres, et la possibilité d'effectuer de bonnes affaires n'était pas à négliger[119].

Les Jersiais s'intéressaient surtout à la pêche à la morue. Des petits bateaux, équipés de quatre ou cinq hommes chacun, pêchaient cette espèce de poisson au large de Miscou. Ils demeuraient en mer environ vingt-quatre heures. Des goélettes, qui exigeaient un équipage de huit hommes, fréquentaient les eaux du golfe du St-Laurent et pouvaient demeurer en mer jusqu'à huit jours[120]. Les Fruing recevaient les prises des pêcheurs de la région à leur établissement de la Pointe-Alexandre. Ils y introduirent le séchage de la morue et d'autres espèces de poissons, ce qui permit de les exporter en Europe, en Amé-

---

116. MacGREGOR, James, op. cit., p. 180.
117. THÉRIAULT, Bernard, Les Robin: présence jersiaise en Acadie, Travail présenté au département des Ressources historiques du N.-B. et à l'administration du Village historique acadien, 1975, p. 10.
118. Ibid.
119. HUGHES, Gary, op. cit., p. 25.
120. COONEY, Robert, op. cit., p. 180.

rique du Sud, etc. De plus, cette industrie requérant un plus grand nombre d'embarcations, on construisit des petits bateaux et des goélettes à la Pointe-Alexandre[121].

Lamèque se mit donc au service des Fruing, tout comme les habitants des autres villages riverains de la baie des Chaleurs pêchèrent pour les Robin. Il ne faut pas oublier que dans le comté de Gloucester, la pêche était pratiquée sur une grande échelle. En fait, avant 1867, Gloucester occupait le premier rang dans ce domaine au Nouveau-Brunswick[122]. Le métier de pêcheur n'était pas le plus simple, surtout lorsqu'il fallait travailler à la solde des Jersiais. Pendant l'hiver, les pêcheurs construisaient leurs propres bateaux. La bonne saison arrivée, on se lançait en mer, cette mer qui pouvait se montrer souvent inhospitalière. Pour les pêcheurs de Lamèque, il y avait toujours les dangers de la Grande Batture sur la côte nord-ouest de l'île de Lamèque, dont les fonds étaient peu profonds[123]. Les naufrages n'étaient pas rares. Peut-être à l'exception de Miscou, la région connut de nombreuses tragédies maritimes[124]. Le folklore fut fortement influencé par ces désastres maritimes et la peur de périr en mer était toujours présente, comme en témoigne ces quelques lignes d'une complainte composée par une femme de la Pointe-Alexandre:

"Écoutez la complainte que je vais vous chanter
C'est moi, tante Marie-Reine, qui l'a tout' composée
C'était par un gros temps où les pêcheurs d'Lamèque
Étaient sur le Saint-Laurent pêchant d'la morue sec'
Au milieu de la nuit, pour lors j'étions couchés
Dans mes vieilles j'ai-t-entendu marcher

121. SAVOIE, Francis, *op. cit.*, p. 18-23.
122. PERLEY, Moses, *Reports of the sea and river Fisheries of New Brunswick*, Fredericton, Queen's Printer, 1852, p. 6.
123. *Ibid.*, p. 40.
124. HACHÉ, Louis, *Charmante Miscou*, Moncton, Éditions d'Acadie, 1974, p. 28.

J'm'écrie: Lève-toi José, c'est notre fi' qui arrive
Auguste n'est pas noyé car il vient de rentrer[125].

Cette crainte de la mer n'était pas particulière à Lamèque:
"Il en est ainsi dans toute civilisation mal armée techniquement pour riposter aux multiples agressions d'un environnement menaçant"[126].

En 1850, les Fruing avaient 60 bateaux qui travaillaient pour eux, chacun ayant en moyenne un équipage de deux hommes et d'un jeune garçon. La morue, prise et séchée, était par la suite envoyée au Brésil, en Espagne, au Portugal, en Sicile, etc.[127] Pour un quintal (112 livres) de morue, les Fruing payaient l'équivalent de 10 shillings en biens consommables ou autres. Leur magasin de la Pointe-Alexandre proposait de la mélasse de Cuba, du sucre du Brésil, des citrons de Sicile, du brandy de Naples, du tabac américain, etc. Ces différents produits étaient achetés à bon marché par les Jersiais lorsqu'ils vendaient leur morue dans les ports étrangers. On peut facilement imaginer le grand profit qu'ils empochaient aux dépens des pêcheurs de la région. Un état des comptes des Fruing pour 1834 est révélateur: plusieurs pêcheurs de Lamèque et d'ailleurs avaient d'énormes dettes pour l'époque, dettes qui les liaient aux Fruing comme de véritables serfs[128].

Cependant certains pêcheurs, tel Louis Haché de Lamèque, ne devaient rien aux Jersiais. Léon Robichaud, du village des Robichaud, était aussi en bonne posture face aux Fruing. En 1849, l'enquêteur provincial pour les pêcheries, Moses Perley, décrivit Robichaud comme un pêcheur intelligent, qualificatif qu'il attribuait rarement. Léon Robichaud et sa famille pêchaient la morue, le hareng,

125. SAVOIE, Francis, *op. cit.*, p. 57.
126. DELUMEAU, Jean, *La Peur en Occident (XIVe-XVIIIe siècles), une cité assiégée*, Paris, Fayard, 1978, p. 31.
127. PERLEY, Moses, *op. cit.*, p. 10.
128. Ledger de Wm. Fruing, 1834, 523.1-1, C.E.A.

le maquereau et le flétan. Pêcheur assez prospère, Robichaud traitait de paresseux ses compatriotes qui ne voulaient pas pêcher le maquereau, pourtant abondant dans les eaux de Lamèque[129].

Cette exception confirme la règle. Bien des pêcheurs étaient pauvres, trop pauvres pour posséder leur propre embarcation; ils se voyaient dans l'obligation de louer des bateaux des Fruing[130]. De plus, ils devaient cultiver de petits lopins de terre, de peur de crever de faim au cours de l'hiver[131]. L'été, la morue était leur nourriture principale[132], quoique les missionnaires écrivaient que les Acadiens étaient de gros mangeurs de patates et d'anguilles[133]. Le rôle des femmes dans une communauté de pêcheurs était ardu. MacGregor, en 1828, les plaignait car elles devaient préparer le poisson, garder les enfants, s'occuper du jardin, fabriquer des vêtements, etc.[134] Puisque les hommes pouvaient passer jusqu'à huit jours en mer, les responsabilités des femmes étaient considérablement accrues.

Nonobstant ces difficultés, la pêche continuait à primer à Lamèque. Vers la fin du XIXe siècle et au début du XXe, les nationalistes acadiens allaient critiquer fortement la pêche comme étant une activité qui conduit à l'endettement et à la pauvreté[135]. Lamèque ne pouvait avoir d'autre vocation économique. L'énorme potentiel des îles de Lamèque et de Miscou était bien reconnu à

---

129. PERLEY, Moses, op. cit., p. 14.
130. Ibid., p. 31.
131. Ibid.
132. MAILHOT, Raymond, Prise de conscience collective acadienne au Nouveau-Brunswick (1860-1891) et comportement de la majorité anglophone, Thèse de doctorat, Université de Montréal, 1973, p. 23.
133. THÉRIAULT, Léon, "Les Missionnaires...", op. cit., p. 37.
134. MacGREGOR, James, op. cit., p. 198.
135. THÉRIAULT, Léon, La Question du pouvoir en Acadie, Moncton, Éditions d'Acadie, 1982, p. 31.

l'époque[136]. Déjà dans les années 1810-1830, des bateaux de la Nouvelle-Angleterre venaient pêcher dans la région[137]. Le recensement provincial de 1851 indique que la vente du poisson rapportait davantage à Shippagan qu'ailleurs dans le comté de Gloucester[138]. De 1861 à 1871, ce comté vit son nombre de pêcheurs passer de 475 à 2,333, soit une augmentation de 500%[139]. Malgré tout, ce ne fut qu'en 1855 que Fredericton vota des subsides pour faire construire un phare dans l'île de Miscou[140].

Donc, avant 1867, les habitants de Lamèque vivaient surtout de la pêche à la morue. Toutefois d'autres espèces de poissons étaient aussi pêchées. Les huîtres des baies de Lamèque et de Petite-Lamèque constituaient une importante source de revenu pour les pêcheurs. Des quantités considérables de ces huîtres étaient envoyées à Québec et Halifax où elles étaient bien appréciées[141].

Les habitants de Lamèque, comme ceux des autres villages de la baie des Chaleurs, s'endettaient progressivement au profit des firmes jersiaises. Celles-ci n'avaient pas intérêt à investir dans le développement socio-économique de l'île de Lamèque car les effets positifs auraient pu être contraires à leurs projets d'exploitation.

Une petite firme rivale des Fruing exista quelque temps sur l'île de Lamèque. Il s'agissait de l'entreprise d'un autre Jersiais, Peter Duval. En 1829, son établissement, situé à la pointe ouest de l'île, était à vendre. Il comprenait un magasin et une maison[142]. Finalement, en 1833, Duval vendit ses biens et s'en retourna en Europe[143].

136. PERLEY, Moses, "Reports on Indian Settlements...", *J.H.A.N.B.*, 1842.
137. INNIS, Harold A., *The Cod Fisheries, The History of an International Econmy*, Toronto, University of Toronto, 1954, p. 279.
138. "Census of 1851", *J.H.A.N.B.*, 1852.
139. MAILHOT, Raymond, *op. cit.*, p. 104.
140. MONRO, Alexander, *New Brunswick...*, *op. cit.*, p. 194.
141. COONEY, Robert, *op. cit.*, p. 180.
142. *The Gleaner*, August 11, 1829.
143. ROBICHAUD, Donat, *Le Grand Chipagan...*, *op. cit.*, p. 191.

La concurrence des Robin et des Fruing fut sans doute trop forte pour lui.

Outre la pêche, un peu d'agriculture permettait aux habitants de Lamèque de survivre. Les terres des côtes étaient cultivables et on pouvait les rendre plus fertiles avec des engrais marins[144] même si les marées inondaient parfois les terres[145]. Les pommes de terre dominaient l'agriculture. Le recensement de 1851 indique que, parmi les six paroisses du comté, la paroisse civile de Shippagan occupait le quatrième rang pour ce légume. Celui de 1861, grâce à la division en districts, nous permet de brosser un petit tableau de la situation agricole pour Lamèque-Miscou. Ce district comptait 73 chevaux, 432 vaches, 63 boeufs de labour, 142 autres têtes de bétail, 980 moutons et 604 porcs[146]. Pour moudre le grain, Lamèque possédait un moulin en 1832, comme le remarqua Cooney. Il est intéressant de noter que Shippagan, Pokemouche et Tracadie n'en possédaient pas à cette époque. Il fut sans doute construit par les Jersiais.

Les malaises économiques et les perturbations climatiques ne favorisaient pas l'agriculture. En 1854, les juges de paix de Gloucester envoyèrent des requêtes à Fredericton pour demander de l'aide car les récoltes avaient été désastreuses[147]. Le curé Paquet de Caraquet écrivait en mai 1850: "Nos Acadiens commencent à respirer l'air des voyages. Déjà six familles du Shippagan se préparent pour la même route. Ceci fait voir (...) que nos missions ont vu leurs meilleurs jours. La pauvreté est plus grande qu'on ne le pense et c'est ce qui chasse les pauvres gens"[148].

144. GESNER, Abraham, *New Brunswick with notes for Emigrants*, London, Simmonds and Ward, 1847, p. 199.
145. —————, "Document inédit", *R.H.S.H.N.D.*, vol. 2, no 1, jan.-fév. 1974, p. 24.
146. *Recensement 1861, comté de Gloucester, op. cit.*
147. *J.H.A.N.B.*, 1855, p. 204-205.
148. AAQNB 1-160 (F977) C.E.A.

La péninsule acadienne n'offrait pas un visage serein et paisible. Les temps y étaient durs et ses villages n'attiraient pas toujours les voyageurs: "The next place after leaving Chatham, that is worthy of any notice, is Bathurst[149]". Cependant, les Acadiens de cette région, surtout ceux des villages de pêcheurs comme Lamèque, avaient des contacts avec l'extérieur. Il ne faut pas exagérer leur isolement[150]. Jean-Baptiste Robichaud fils allait aux marchés de la Miramichi pour acheter des provisions pour ses voisins du grand Chipagan dans les années 1830[151]. Un Jersiais, le vieux Prospère Dupont, avait une auberge florissante à Petite-Lamèque vers 1835-1840[152]. À l'exception des magasins des firmes, Lamèque n'eut, semble-t-il, aucun marchand avant 1867. Ses habitants étaient des fermiers-pêcheurs[153]. De plus, de toutes les paroisses civiles de Gloucester en 1851, Shippagan fut la seule à ne produire aucun bien manufacturier[154].

Le commerce du bois créa peut-être des emplois pour certains habitants de Lamèque. De 1840 à 1851, le nombre de moulins à scie augmenta au Nouveau-Brunswick. On y employait en moyenne une vingtaine d'hommes[155]. Quelques-uns étaient installés à Shippagan et il est possible qu'on ait embauché des hommes de Lamèque.

Village de pêcheurs, Lamèque, avec la lourde présence des Fruing, ne connut pas un développement économique des plus rapides. D'ailleurs la plupart des villages de la péninsule, loin de Fredericton et des subsides provinciaux, étaient aux prises avec des compagnies de pêche

149. ATKINSON, Christopher, *A Guide to New Brunswick British North America...*, Edinburgh, Anderson and Bryce, 1843, p. 72.
150. ROY, Michel, *L'Acadie des origines...*, *op. cit.*, p. 161.
151. ROBICHAUD, Donat, *Les Robichaud...*, *op. cit.*, p. 41.
152. OUELLETTE, Edmond, *op. cit.*, p. 27.
153. HUTCHINSON, Thomas, *Hutchinson's New Brunswick Directory for 1865-66*, St-John, 1866, p. 580.
154. "Census of 1851", *J.H.A.N.B.*, 1852.
155. WYNN, Graeme, *Timber Colony: A Historical Geography of Early Nineteenth Century N.B.*, Toronto, University of Toronto Press, 1981, p. 109.

ou de bois qui exploitaient la population au maximum. De 1755 à 1860, il semble que l'économie acadienne n'ait presque pas évolué[156]. L'industrie demeurait domestique. Très peu d'Acadiens vendaient le surplus de leurs récoltes pour s'assurer quelque profit. Les Jersiais prenaient les villages de pêcheurs à la gorge. Lamèque, comme d'autres, devra attendre le XXe siècle pour connaître une meilleure situation socio-économique.

---

156. MAILHOT, Raymond, *op. cit.*, p. 22.

II

LAMÈQUE, DE 1867 À NOS JOURS

L'évolution démographique

Faute de statistiques précises, cette section ne se veut qu'un survol rapide de l'évolution démographique de la population laméquoise. Ces lacunes se situent au niveau du vocabulaire employé et de la délimitation des frontières. Comment compiler des données cumulatives avec des termes aussi imprécis que "âmes", "communiants" (ce terme exclut les non-catholiques ainsi que les jeunes enfants) et "chefs de familles" (cette expression, même multipliée par la moyenne d'enfants par famille, ne comprend que le noyau familial, laissant de côté les célibataires)? De plus, les espaces géographiques recensés, qui se divisent en villages, régions, districts, paroisses civiles ou religieuses, etc., n'offrent guère de frontières fixes.

Malgré ces faiblesses au niveau des statistiques, nous pouvons établir quelques chiffres fiables concernant la population du village de Lamèque au début des années 1900, ainsi que pour la période de 1976 à 1981. En effet, des recensements détaillés de la mission de "L'Amec" pour les années 1893, 1896, 1903 et 1906, effectués par le curé Romain Doucet, font état d'une évolution démographique assez significative.

Le district de Lamèque comptait 246 âmes en 1893,

270 en 1896, 299 en 1903 et 369 en 1906[1]. Deux ans plus tard ce chiffre grimpa à 380[2]. La population du village de Lamèque était la plus importante de l'île qui comptait 1822 habitants en 1906[3], Petite-Rivière et Miscou non-incluses. Donc, en 15 ans, la population de Lamèque s'est accrue de 134 âmes, ce qui correspond à une augmentation de plus de 50%. Un tel accroissement ne peut être passé sous silence. Une explication plausible nous est fournie par le curé J.A. Trudel suite à une visite paroissiale. Ce dernier, en plus de remarquer la diminution de la production agricole entre 1910 et 1922, souligna le fait que Lamèque fut moins touchée par l'émigration que le furent les paroisses voisines[4]. Cette stabilité de la population permettra la mise en place d'une fondation humaine solide propice à la croissance démographique.

Les chiffres recueillis par le curé Doucet n'existent pas de façon sérielle jusqu'à nos jours. Pour la majeure partie du XXe siècle, on ne retrouve çà et là que des bribes d'informations. À titre d'exemple, *l'Évangéline* mentionne la présence de 5000 âmes dans les îles de Lamèque et de Miscou en 1938[5]. Plus précisément encore, ce journal, dans un article intitulé "Statistiques Paroissiales à Lamèque", accordait 1858 ouailles à cette paroisse religieuse en 1952[6]. Par ce chiffre nous n'atteignons pas encore la seule population du village de Lamèque. Cependant, la fondation des paroisses religieuses de St-Raphaël et de Ste-Cécile, anciennement comprises dans Lamèque, nous rap-

1. CHAREST, Rémi (Relevés et présentés par) "Les Îles Lamèque et Miscou à l'époque du père Romain Doucet", *R.H.S.H.N.D.*, vol. V, nos 2 et 3, avril-août 1977, p. 33-40.
2. McALPINE, Charles D. et Charles F. *Canada's Manufacturers Business and Professional Record and Gazeteer*, Trade Publishing Company Ltd., Toronto, 1908, p. 183.
3. CHAREST, Rémi, "Les Îles Lamèque...", *op. cit.*, p. 33-40.
4. EV. 26 oct. 1922, p. 5.
5. EV. 3 mars 1938, p. 3.
6. EV. 30 janv. 1952, p. 2.

proche de la cible. L'incorporation du village de Lamèque en 1966 rendra enfin possible le dénombrement de sa population. Le recensement fédéral de 1976 fixa le nombre d'habitants du village de Lamèque à 1523 alors que celui de 1981 révèle une augmentation de 48 personnes[7]. Quant à la paroisse religieuse St-Urbain (Notre-Dame des Flots), elle regroupait une population de 2560 âmes en 1977[8]. Malgré le peu de données, on peut constater que la population laméquoise a sextuplé en moins de 100 ans.

Le registre paroissial de Lamèque, tenu avec un certain degré de constance, nous offre quelques indications au sujet de cette prolifération humaine. Malgré les faiblesses inhérentes à ce genre de document, tels les défauts dus à la mortalité infantile et aux naissances pré-nuptiales pas toujours relevées, on peut en dégager les tendances principales.

Ainsi, comme l'indique le graphique à la page 63 , la société laméquoise connut annuellement un taux de natalité supérieur à celui des mortalités. Il n'est guère étonnant qu'une population puisse se développer aussi rapidement dans de pareilles conditions. De plus, le quotient baptêmes/mariages est de 5.69*, ce qui est assez élevé à cette époque. Une simple comparaison avec les résultats obtenus par Jacques Henrypin, démographe qui situa ce quotient à 6 pour la société canadienne-française du début du XVIIIe siècle[9], démontre l'ampleur de la situation à Lamèque. Notre village, fondé en 1850, soit depuis plus de 50 ans, ne fut pas sensible à la décroissance

---

7. ——————, "Ville de Lamèque, Lamèque, N.-B.", publication inédite, s.d.

8. *Ibid.*

* Ce quotient est obtenu en divisant le nombre de mariages entre 1850 et 1945 par le nombre de baptêmes au cours de la même période. Le résultat nous livre la moyenne d'enfants par mariage durant ces 95 ans.

9. HENRYPIN, Jacques, *La Population canadienne au début du XVIIIe siècle; Nuptialitié, fécondité, mortalité, infantile; Travaux et Documents*, cahier no 22, P.U.F., 1954, p. 14.

de la natalité comme ailleurs. En effet, les grandes familles ne faisaient pas exception à Lamèque. Francis Savoie souligne l'exploit d'une famille de Petite-Rivière qui comptait trente-deux enfants[10]. Même à une époque plus près de nous, ce phénomène est toujours répandu: en 1953, *l'Évangéline* annonçait la mort d'une femme de Lamèque, âgée de 49 ans, qui laissait dans le deuil, outre son mari, ses 15 enfants[11].

Par conséquent, nous pouvons constater que les courbes du graphique subissent une progression relativement "normale". Seules deux irrégularités prononcées se distinguent: la pointe des décès en 1899 et le creux des baptêmes en 1937. Une épidémie de grippe et de diphtérie qui fit des ravages parmi la population jeune explique sans doute cette oscillation prononcée dans la courbe des sépultures[12]. La chute apparente du taux des baptêmes en 1937 est sûrement reliée à l'ouverture des registres de St-Raphaël-sur-mer, qui privait Lamèque d'une bonne partie des naissances[13]. La caractéristique principale de la démographie de Lamèque demeure donc le haut taux de natalité. L'isolement du Nord-Est et plus particulièrement de l'île de Lamèque des tendances démographiques de la société nord-américaine contemporaine peut expliquer en partie cette situation.

Finalement, même si le graphique ne peut le montrer, il paraît essentiel de mentionner que, malgré l'énoncé d'Henry Sormany qui en 1897, dans une correspondance avec le gouvernement fédéral, annonçait "The english language is not dead in Lameque[14]", l'île de Lamèque est presque totalement de langue française.

---

10. SAVOIE, Francis, *op. cit.*, p. 81.
11. EV. 4 jan. 1953, p. 2.
12. CHAREST, Rémi, "Les Îles Lamèque...", *op. cit.*, p. 47.
13. OUELLETTE, E., *op. cit.*, p. 22.
14. Fonds A.M. Sormany, 25.6-1, C.E.A., 1 janv. 1897.

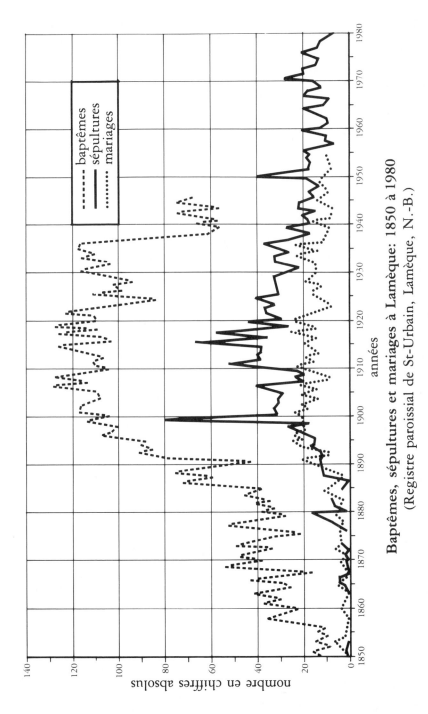

Baptêmes, sépultures et mariages à Lamèque: 1850 à 1980

(Registre paroissial de St-Urbain, Lamèque, N.-B.)

Légende:
- ----- baptêmes
- ——— sépultures
- .... mariages

années

nombre en chiffres absolus

Un bref aperçu de la vie politique laméquoise

L'entrée du Nouveau-Brunswick dans la Confédération canadienne ne transforma pas beaucoup la vie quotidienne des Laméquois sauf qu'ils allaient maintenant voter pour un membre du parlement fédéral. Au cours des premières décennies de l'histoire du jeune Dominion, Lamèque et le Nord-Est favorisèrent ouvertement le parti conservateur. Après l'arrivée de Wilfred Laurier sur la scène politique fédérale, ils se mirent à voter massivement libéral[15]. Ce même phénomène se produisit lors des élections provinciales: le Dr Alphonse Sormany, anciennement de Lamèque, fut élu député libéral à Fredericton avec le plus grand nombre de voix dans Gloucester[16].

Un autre facteur qui opposa les conservateurs au pouvoir aux francophones du Nord-Est fut le grand débat sur la prohibition. Les résultats obtenus au référendum national de 1898 au sujet de l'entrée en vigueur de la prohibition démontrèrent que les Laméquois y étaient fortement opposés (l'ensemble du Nord-Est s'opposa à la mesure 533 voix contre 361. Lamèque exprima son désaccord avec le projet proposé en votant 33 "contre" et seulement 4 "pour"[17]).

La politique fédérale et provinciale étant dominée surtout par les hommes des autres parties du comté de Gloucester*, les Laméquois prirent un intérêt particulier pour le conseil municipal de leur circonscription. À ce conseil siégeaient deux conseillers pour chacune des neuf paroisses civiles en plus d'un représentant pour le chef-lieu du comté, Bathurst.

---

15. ROY, Michel, "L'Acadie des origines...", *op. cit.*, p. 185.
16. GARLAND, Robert et al., *Promises, Promises... An almanac of New Brunswick elections, 1870-1980.* Keystone Printing, St. John, N.B., 1981, p. 98.
17. Le Courrier des Provinces Maritimes, 13 oct. 1889, in DeGRÂCE, Eloi et al, *Histoire d'Acadie par les textes*, Éditions d'Acadie, Moncton, 1976, p. 24.

* Voir *Le Grand Chipagan* de Donat Robichaud, p. 144-146 et GRAVES, John, *N.B. Political Biography, op. cit.*

Les représentants de la paroisse civile de Shippagan furent souvent des Laméquois, entre autres Édouard Chiasson (1918), Albert E. Robichaud (1924)[18] et Jean-Paul Chiasson (1931). Un fait intéressant à remarquer: en 1939, deux Laméquois, Albert E. Robichaud et Jean-Paul Chiasson, représentaient Shippagan[19]. Jean-Paul Chiasson, en tant que secrétaire-trésorier de la région de Gloucester de 1941 à 1960, agira comme porte-parole des intérêts laméquois en haut lieu[20].

La seconde guerre mondiale et la participation canadienne à ce conflit, engendrèrent une autre controverse, au sujet de la conscription. Afin de trancher la question, le gouvernement fédéral la soumit à l'électorat canadien en avril 1942. Les comtés francophones du N.-B. répondirent par un non unanime[21], ce qu'illustre bien le tableau de la page 66. Pour sa part, Lamèque manifesta une opposition catégorique à la conscription en inscrivant le plus imposant total de "non", soit 361, dans la péninsule. Les fils tombés au cours de la Grande Guerre, les inquiétudes si profondes qu'on organisait des soirées pour les soldats laméquois qui partaient au combat: tous ces souvenirs influencèrent possiblement le scrutin[22].

Le règne du parti libéral dans le comté de Gloucester se prolongera tard dans les années 1970. Lors de l'élection du gouvernement Pearson en avril 1963, le libéral Hédard Robichaud fut élu député de notre circonscription. Lamèque participa à sa victoire en lui accordant 340 votes, soit 133 de plus qu'au candidat Dubé (crédit social) et 248 de plus qu'à l'aspirant conservateur, Ferguson[23]. Les

---

18. Voir ————, Rapports et procès-verbaux de la session annuelle du conseil municipal du comté de Gloucester.
19. Notes personnelles de Jean-Paul Chiasson, document appartenant à M. Rufin Chiasson de Lamèque, p. 2.
20. *Ibid.*
21. DOUCET, Philippe, *Acadiens des...*, *op. cit.*, p. 280.
22. EV. 16 oct. 1941, p. 4.
23. EV. 9 avril 1963, p. 12.

années 1960 sont associées à Louis J. Robichaud. Lamèque fut indirectement représentée au sein de son gouvernement par un de ses fils natifs, Bernard Jean. Né et éduqué jusqu'au secondaire à Lamèque, cet homme politique fut orateur de la Chambre de 1963 à 1967, puis ministre de la Justice de 1967 à 1970[24].

Le 6 novembre 1966 est un jour marquant dans l'histoire de Lamèque puisque ce fut le jour de son incorporation en tant que village. Bertin Jean reçut l'insigne honneur d'en être le premier maire, de 1967 à 1969 (une liste des maires et échevins de 1967 à 1983 se trouve à la page 67). Le 1er septembre 1982, Jean-Charles Chiasson vit sa communauté accéder au statut de ville.

La Conscription
Résultats du plébiscite*

	Oui	Non
Grande-Anse	73	110
Caraquet	124	196
Blanchard Settlement	47	23
Haut-Caraquet	68	236
Middle-Caraquet	124	228
Bas-Caraquet	188	94
Saint-Simon	82	147
Paquetville	43	294
Trudel	47	122
Notre-Dame de Trudel	7	69
Val-Doucet	7	105
Sheila	114	190
Tracadie	283	234
Tilley Road	37	226
Saint-Isidore	50	124
Duguayville	26	157

24. GRAVES, James, *N.B. Political...*, p. 24.
* EV., 30 avril 1942, p. 7.

Shippegan	92	207
Shippegan Island	66	172
Lamèque	63	361
Miscou-Centre	155	75
Savoie Landing	66	176
Haut-Pokemouche	30	67
Inkerman	39	139
Six Roads	32	132

Maires et échevins de Lamèque
1967-1983

2 juin 1967

Bertin Jean, maire	1967-69
Normand Haché	1967-69
Tilmont Kerry	1967-69
Alphonse Noël	1967-69
Martin Paulin	1967-69

9 juin 1969

Rufin Chiasson, maire	1969-71
Tilmont Kerry	1969-71
Alphonse Noël	1969-71
Martin Paulin	1969-71
Gildard Savoie	1969-71

14 juin 1971

Rufin Chiasson, maire	1971-74
Martin Paulin	1971-72
Michel Haché	1971-72
Eymard Haché	1971-72
Paul-Emile Robichaud	1971-72

18 mars 1973

Alfredine Landry	1973-74

10 juin 1974

Rufin Chiasson	1974-77
Michel Haché	1974-77

Alfredine Landry	1974-77
Rodolphe Haché	1974-77
Jean-Yves Chiasson	1974-77
9 mai 1977	
Valier Chiasson	1977-78
Michel Haché	1978-80
Tilmont Kerry	1977-80
Jean-Charles Chiasson	1977-80
Eymard Chiasson	1977-80
Donald Chiasson	1977-80
Benoit Chiasson	1977-80
Anaclet Larocque	1977-80
Roger A. Noël	1979-80
19 mai 1980	
Michel Haché	1980
Jean-Charles Chiasson	1980-83
Eymard Chiasson	1980-83
Réginald Paulin	1980-83
Jean-Charles Chiasson	1980-80
Frédéric Duguay	1980-81
Tilmont Kerry	1980-83
Égide Paulin	1981-83
Calixte Chiasson	1981-83

L'éducation

Lors de l'entrée de la province du Nouveau-Brunswick dans la Confédération, Henry A. Sormany dirigeait l'école de Lamèque[25]. Les rapports provinciaux sur l'éducation en font état sans pour autant préciser l'emplacement ou la nature de l'édifice. Il est fort probable cependant que Sormany dispensait un enseignement chez lui ou dans les demeures des habitants, comme le fit Charles Brisson au village des Robichaud[26]. Détenteur d'un permis d'en-

---

25. ROBICHAUD, Donat, *op. cit.*, p. 101.
26. *Ibid.*, p. 131.

seignement de la province, Sormany fut, au cours de sa carrière d'officier civil, percepteur de douanes, juge de paix, commissaire des terres de la couronne et commissaire d'écoles[27]. Ce ne sera qu'aux environs de 1883 qu'on érigera un édifice réservé à l'enseignement[28].

Sormany et ses successeurs devaient faire face à des conditions de vie difficiles et à une pénurie de matériel didactique. Grâce à Sormany, "(...) un personnage providentiel qui fut l'artisan de la culture dans ce milieu perdu et isolé(...)[29]", il nous est possible, par le biais d'une lettre au rédacteur du *Moniteur Acadien*, d'apporter des éclaircissements au sujet du programme scolaire rudimentaire de cette époque[30]. Cette lettre décrivait le déroulement d'une session d'examen administrée par une institutrice à l'école de Lamèque, Mlle Tharsile Hachez. D'après ce document, les étudiants devaient assimiler les matières suivantes: "la lecture anglaise et française, l'écriture, l'épellation dans les deux langues, la grammaire française, l'arithmétique, théorie et pratique(...)[31]". L'aspect culturel et artistique du programme consistait en une courte "séance littéraire" durant laquelle les jeunes Laméquois récitaient des extraits de Molière et chantaient le "God Save the Queen"[32].

La correspondance de Sormany avec ce journal montre également l'attitude des gens de Lamèque et des autres régions du Nord-Est à l'égard de l'éducation. La faible participation des parents à ces sessions témoigne de l'indifférence des adultes: "à peine cinq ou six mères de famille,

.

---

27. THÉRIAULT, Léon (présenté par), "Les Examens dans les écoles du Nouveau-Brunswick: Lamèque 1880", *C.S.H.A.*, vol. 10, no 1, mars 1979, p. 51.
28. OUELLETTE, E., *op. cit.*, p. 29.
29. SAVOIE, Francis, *op. cit.*, in SAVOIE, A.J., *op. cit.*, p. 16.
30. THÉRIAULT, Léon, *op. cit.*, p. 51-52.
31. *Ibid.*, p. 52.
32. *Ibid.*

pas un seul père, y était présent[33]". Cette apathie se traduisit par un taux d'absentéisme absolument invraisemblable. En 1871, les deux écoles de la paroisse civile de Shippagan, dont celle de Lamèque, recevaient en moyenne 25 étudiants par jour au lieu des quarante officiellement inscrits dans le cahier des présences[34]. Ceci représente un pourcentage d'assistance aux cours inférieur à 40%. Un contexte économique exigeant une jeune main-d'oeuvre (chantiers, pêche, etc.), et des querelles de clochers qui divisaient les paroisses (Caraquet et Shippagan, par exemple, "(...) where there are two school-houses, one at each end of the District, rivalry and constant broils are the result[35]") furent, sans contredit, à l'origine de ce phénomène.

Ces difficultés empêchaient l'enseignant de donner une suite logique à ses cours. D'ailleurs, les manuels scolaires manquaient: on devait se contenter d'un abécédaire, une petite série de trois livres de lecture dont le plus avancé était intitulé "Inventions modernes"[36]. Enfin, le salaire du maître laissait à désirer. Selon un contrat d'enseignement d'Édouard Chiasson, pionnier dans ce domaine et premier instituteur du village à bénéficier, après 35 années de travail, d'une pension du bureau d'instruction publique en 1923[37], la rémunération se limitait à une somme mensuelle de $20[38]. Ce traitement était d'autant plus difficile à accepter qu'à la même époque certains hommes d'équipage gagnaient jusqu'à $30 par mois[39].

Malgré ces lacunes sur les plans matériel et salarial,

---

33. Henry A. Sormany, M.A., 10 nov. 1881, p. 2 in THÉRIAULT, Léon, *op. cit.*, p. 51.
34. ROBICHAUD, Donat, *op. cit.*, p. 104.
35. _____, Annual Report of the Schools of New Brunswick, 1880, Fredericton, N.B., Appendix B, p. 19.
36. SAVOIE, A.J., *op. cit.*, p. 27.
37. EV., 30 juin 1923.
38. Contrat d'enseignant 1913 in Journal personnel d'Édouard Chiasson.
39. ROBICHAUD, Donat, *op. cit.*, p. 205.

L'abbé J. Romain Doucet.

Deuxième église de Lamèque.

Intérieur de la deuxième église.
(Coll. Albert Haché)

Bureau des douanes à Lamèque c. 1890. Henry Sormany est le deuxième à partir de la gauche. (Coll. Albert Haché)

Ancien presbytère devenu premier hôpital de Lamèque c. 1940. (Coll. Albert Haché)

Le Beaver, c. 1910. (Coll. Albert Haché)

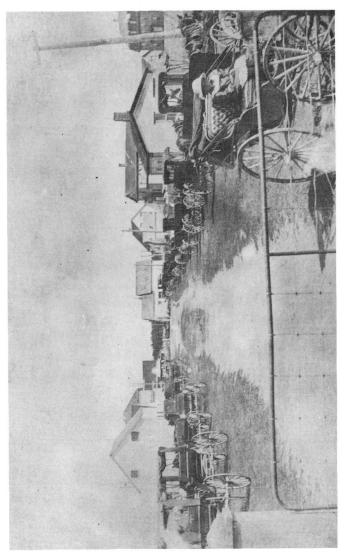

Voitures stationnées devant l'église un dimanche en 1912.
(Coll. Albert Haché)

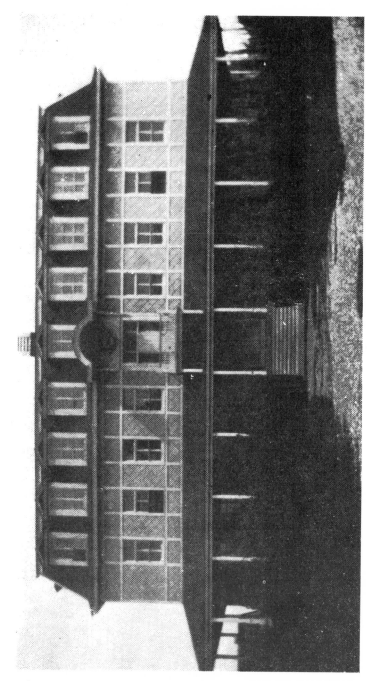

Le couvent de Lamèque c. 1930. (Coll. Albert Haché)

Rue principale à Lamèque c. 1940. Au centre, l'édifice de la société coopérative. (Coll. Albert Haché)

Dr Alphonse Sormany.
(Coll. Albert Haché)

le district no 6 de Lamèque* était relativement prospère. En effet, ce district ne reçut que très rarement des subsides accordés aux "Poor Districts", contrairement à l'ensemble des autres districts de l'île de Lamèque[40]. L'année 1882 fait figure d'exception; le district no 6 reçut $35, sans doute pour la construction d'une école qui, comme nous l'avons déjà mentionné, daterait de 1882-83[41]. Avec l'arrivée des religieuses éducatrices de Jésus-Marie commence une nouvelle période de l'histoire scolaire de Lamèque.

Avant la venue des religieuses en 1918, l'école publique de Lamèque, comme toutes celles de la province, était depuis 1871 officiellement non-confessionnelle. Henry Sormany en faisait la remarque le 20 avril 1900: "Encore à l'heure qu'il est on ne peut parler de religion dans l'école et les institutions aussi bien que les commissaires d'école, à la fin de chaque terme sont obligés de faire serment que l'école a été tenue d'après les termes de la loi, et qu'on ne s'est servi à l'école d'aucun autre livre que ceux qui sont autorisés par le Bureau d'Éducation"[42]. Une fois les religieuses installées dans leur couvent, deux écoles allaient co-exister à Lamèque. L'école publique offrait le programme officiel de la province, tandis que celle du couvent dispensait ce même programme en plus des cours de catéchisme.

L'école du couvent, institution privée, eut apparemment des débuts modestes. En 1922, seulement quatre années après sa fondation, le nombre des inscriptions diminua, ce qui l'obligea à fixer des frais de scolarité moins élevés que ceux d'autres institutions semblables[43]. Malgré ces embarras financiers, les soeurs persistèrent à offrir des

---

* À l'époque, chaque paroisse civile comptait un nombre variant de districts scolaires, ces derniers correspondaient généralement aux frontières villageoises.

40. Annual Report, *op. cit.* (1880-1890).
41. *Ibid.*, 1882, p. XXV.
42. Fonds Sormany, *op. cit.*, 20 avril 1900.
43. EV., 18 avril 1922, p. 1.

cours qui furent "(...) renommés dans toute la Province[44]".
Outre les cours réguliers (niveaux I à XII, cours commercial de deux ans), cette école mettait un accent particulier sur l'enseignement des matières artistiques et domestiques. Ainsi, les premiers examens de musique eurent lieu au couvent en 1938 sous la direction de la Révérende Marie Ste-Clothide. Ces musiciens en herbe furent jugés par les professeurs Crépault de Montréal et Doucet de Bathurst. Il est à noter qu'un certain Gabriel Chiasson remporta le premier prix avec un total cumulatif de 97 points[45].

Ainsi, dans la première moitié du XXe siècle, le village de Lamèque se retrouvait avec deux écoles ayant sensiblement le même nombre d'étudiants. En 1930-31, l'école publique en comptait 78[46]. À la fin de cette décennie, 125 élèves, dont 40 pensionnaires, fréquentaient l'école du couvent[47]. Même si le couvent comptait plus d'étudiants originaires de Lamèque, il semble que ce nombre soit à peu près égal à celui des étudiants inscrits à l'école publique. Il faut préciser que les religieuses allaient chercher leur clientèle dans les autres villages de la région ainsi que dans la province de Québec (14 Québécois en 1938)[48].

Avec les années 1950, la politique de consolidation des écoles, telle que préconisée par le gouvernement néo-brunswickois[49], provoqua la fermeture de plusieurs petites écoles de district (il y avait déjà 13 districts en 1927 dans l'île de Lamèque)[50], dont plusieurs classes des environs du village de Lamèque qui passeront au couvent. À son tour,

44. OUELLETTE, E., *op. cit.*, p. 65.
45. EV., 14 juillet 1938, p. 4.
46. Annual Report..., 1930, Appendix B, p. 13.
47. EV., 15 sept. 1938, p. 3.
48. *Ibid.*
49. ROBICHAUD, Donat, *op. cit.*, p. 121.
50. EV., 20 jan. 1927, p. 4.

celui-ci perdit une partie considérable de ses élèves lorsque l'école élémentaire de Lamèque fut érigée en 1962-63. Puis en 1970, après 52 années de services pédagogiques zélés auprès des Laméquois, le couvent ferma ses portes*. Ses quelque 450 élèves de niveau secondaire premier et deuxième cycles furent partagés entre l'école intermédiaire Sr. St-Alexandre** de Lamèque, ouverte en décembre 1970, et la polyvalente Marie-Esther de Shippagan (1971)[51]. Celle de Lamèque desservira, en plus du village, les paroisses de Miscou, Petite-Rivière et St-Raphaël-Pigeon Hill. Pouvant accueillir jusqu'à 550 étudiants, elle est munie d'un gymnase, une aile administrative, des services de santé, dix-sept salles de classe, un laboratoire, un atelier, une salle de conférence et un centre artistique[52].

Dans le cadre des cours destinés à l'enfance exceptionnelle, soulignons le travail du frère LaCasse de Lamèque. En 1968, il se chargera de l'inscription de certains enfants laméquois dans la classe d'éducation spéciale de Shippagan pour ensuite assurer l'établissement de ce programme à Lamèque[53].

Finalement, les préoccupations des gens de Lamèque en ce qui a trait à l'éducation ne se limitaient pas seulement aux jeunes. Des cours du soir furent organisés à l'école du village dès 1941: "Jeunes et vieux, en grand nombre (prirent) part à ces cours et s'y (intéressèrent) grandement[54]". Ce souci d'offrir de l'éducation aux gens de tout âge facilitera la mise en place de cercles d'études,

---

* En 1974, l'édifice fut vendu à un groupe de citoyens de Lamèque. L'ancienne partie fut démolie à la fin des années 70. La nouvelle, construite en 1959, devint l'Hôtel de ville. Les religieuses demeurant à Lamèque s'y achèteront la maison du Dr Lacroix en 1977.

** L'école porte le nom de la première supérieure du couvent de Lamèque de 1918-1929.

51. Entretien avec Sr Bernadette Nardini (26-7-83).
52. EV., 27 juin 1969, p. 1 et EV., 30 juin 1969, p. 1.
53. EV., 23 jan. 1968, p. 3.
54. EV., 11 déc. 1941, p. 4.

base du mouvement coopératif. Bref, c'est grâce à des pionniers dévoués, tels Henry Sormany, Édouard Chiasson et les religieuses de Jésus-Marie, que Lamèque a aujourd'hui un système scolaire qui répond aux besoins de tous.

La vie religieuse

L'île de Lamèque fut constituée en desserte de la paroisse religieuse de Shippagan vers 1840, tenant son propre registre. En 1887 sera érigée la paroisse St-Urbain (Notre-Dame des Flots) de Lamèque qui desservira Miscou[55]. Cette année fut marquée également par l'arrivée du premier curé résident, l'abbé Joseph Trudel. Celui-ci, ancien curé de Shippagan (1877-1887) et "le véritable fondateur de la paroisse de Lamèque[56]", connaissait bien les habitants de notre village, les ayant servis pendant dix ans. En plus des tâches communes associées au sacerdoce, il fut responsable des débuts de la construction d'une nouvelle église.

L'ancienne structure, construite en bois, datait déjà d'une quarantaine d'années et les fidèles de l'endroit étaient devenus plus nombreux. Entrepris au printemps 1880, ces travaux s'échelonnèrent sur les quinze années suivantes, et furent achevés sous la surveillance du deuxième curé, l'abbé Joseph Romain Doucet (1893-1908). Contrairement à l'humble temple des pionniers, le second était construit de pierres de taille "de couleur rougeâtre"[57]. Conçu dans le style néo-gothique, il était surmonté d'un seul clocher; ses murs latéraux étaient percés de quatre fenêtres en ogive. La décoration intérieure ne fut amorcée qu'en 1894 sous la direction de M. Cyrille Comeau. En franchissant le seuil de l'entrée principale, on pouvait remarquer un impressionnant maître-autel. L'intérieur de

---

55. ROBICHAUD, Donat, *op. cit.*, p. 77.
56. OUELLETTE, E., *op. cit.*, p. 42.
57. MA., 18 nov. 1880.

l'édifice et la sacristie furent recouverts de crépi. Dotée de deux galeries et d'un jubé, cette maison de culte s'avéra être un énorme fardeau fiscal pour une communauté de modestes pêcheurs, l'intérieur ayant nécessité un déboursé d'au-delà de $7000[58]. Une telle construction, symbole monumental d'une foi chrétienne fervente, démontre bien que la religion était prioritaire pour les habitants de Lamèque, malgré le contexte économique difficile.

L'oeuvre des curés ne se limita pas à la nouvelle église. En effet, le père Doucet fit élever un presbytère en 1897[59]. Terminée l'année suivante, cette résidence d'ecclésiastiques comportait deux étages, une tourelle ainsi que plusieurs petites lucarnes. Le presbytère, en plus des biens mobiliers, coûta à la paroisse la somme rondelette de $7000[60]. Comme nous le verrons plus loin, cet édifice sera converti en hôpital à la fin des années 40. D'autre part, un couvent fut construit en 1918. Ce projet fut réalisé par monseigneur J.-Alfred Trudel, curé de Lamèque de 1910 à 1931 et neveu de Joseph Trudel, premier curé de l'endroit. Il invita les Religieuses de Jésus-Marie de Sillery, P.Q., à assurer un certain enseignement confessionnel dans la paroisse. Les quatre religieuses fondatrices furent Mère Saint-Alexandre, Mère Saint-Elphège, Mère Saint-Christophe et Soeur Saint-Armand. Leur pédagogie eut une certaine influence sur les vocations des jeunes de l'endroit, tel l'abbé Arthur Duguay, ancien élève du couvent, dont le choix de carrière ne fut certainement pas découragé par les religieuses[61].

La première moitié du siècle sera également marquée par d'autres changements sur la scène paroissiale, dont l'arrivée de deux nouveaux curés dans l'île de Lamèque. Une croissance démographique considérable, compte tenu

58. CHAREST, Rémi, "Les Îles Lamèque...", *op. cit.*, p. 44-45.
59. *Ibid.*, p. 46.
60. OUELLETTE, E., *op. cit.*, p. 43.
61. *Ibid.*, p. 57.

de la population de l'île, exigea la construction d'une église à Petite-Rivière en 1874, bâtiment qu'on mit 18 ans à compléter[62]. La population atteignant environ 400 âmes en 1906[63], l'organisation d'une mission, dépendante de la paroisse de Lamèque, devint nécessaire. Le curé de notre village s'y rendait à tous les deux dimanches pour assurer un service religieux[64]. En 1947 Petite-Rivière fut érigée en paroisse indépendante avec sainte Cécile comme patronne. Quant à St-Raphaël-sur-mer, la région de "Emites", la présence de tourbières presque intraversables à l'époque isolait les habitants de cette région, les privant ainsi des offices du culte. À la suite d'un débat houleux et ardu opposant des paroissiens de Lamèque à ceux de la future paroisse, l'évêque de Chatham opta pour la construction d'une église à St-Raphaël. Malgré le fait qu'une église en bois existait là depuis 1910, cette cure ne devint autonome qu'en 1937; l'arrivée de son premier curé ne se fera que deux ans plus tard[65].

Dès le début de la deuxième moitié du XXe siècle on amorce l'édification d'un nouveau lieu de culte. Conçue sous l'abbé Louis Morin, curé de 1941 à 1950, et achevée sous l'abbé Lucien Saindon, cette structure était de style "Dom Bello"[66], c'est-à-dire sans colonnes, créant ainsi une atmosphère plus spacieuse. Construite en béton armé et en pierres de taille, extraites de la carrière des Pères Trappistes à Rogersville, N.-B., elle avait une capacité d'environ mille places. Ses douze verrières aux motifs liturgiques, son clocher d'une hauteur de 93 pieds muni de quatre cloches provenant de l'ancienne église, ses bancs en merisier verni et son acoustique renommée faisaient

62. *Ibid.*, p. 23.
63. CHAREST, Rémi, *op. cit.*, p. 42.
64. SAVOIE, F., *op. cit.*, p. 81.
65. OUELLETTE, E., *op. cit.*, p. 22.
66. EV., 18 nov. 1950, p. 1.

l'orgueil des paroissiens de l'époque[67]. Il va sans dire que la bénédiction de la pierre angulaire, présidée par Mgr Camille André Leblanc, évêque de Bathurst, donna lieu à des cérémonies imposantes[68]. La première messe y fut célébrée le 10 novembre 1950[69].

L'oeuvre des curés mise à part, quelle fut la participation des ouailles à la vie religieuse de Lamèque? Notons d'abord que les laïcs s'organisèrent en associations paroissiales: pour les hommes, on fonda la Ligue du Sacré-Coeur, pour les femmes, les Dames de sainte Anne et pour les jeunes, les Enfants de Marie. Des réunions fréquentes assuraient le bon fonctionnement de ces sociétés religieuses[70]. Les fidèles se montrèrent généreux: en 1952, alors que la paroisse comptait 1,388 communiants, les recettes totales furent de $31,000. Les revenus provenaient de la vente des bancs, de la quête du dimanche, de la quête du bazar, ainsi que des bingos et des activités diverses[71]. Ces chiffres représentent un don moyen supérieur à $20 par communiant, ou encore $100 par famille, au nombre de 307 en 1952[72]. Sur le plan des manifestations religieuses, les Laméquois témoignèrent d'une participation active. Tel fut le cas lors de la procession mariale de juin 1954 au cours de laquelle des ampoules électriques, disposées en forme de "M", ornaient les maisons du village[73]. Il ne faut pas oublier le fameux choeur de chant, les "Quarante Immortels", fondé par le premier curé de Lamèque, Joseph Trudel. Constituée de laïcs de l'endroit, cette chorale animait le service dominical[74].

Dans l'ensemble, la collaboration fructueuse entre le

---

67. EV., 16 juin 1951, p. 6.
68. EV., 16 nov. 1950, p. 1.
69. OUELLETTE, E., *op. cit.*, p. 49.
70. EV., 16 juin 1951, p. 6.
71. EV., 30 juin 1952, p. 2.
72. *Ibid.*
73. EV., 10 juin 1954, p. 3.
74. OUELLETTE, E., *op. cit.*, p. 31.

curé et les paroissiens semble indéniable. Sans doute, la bénédiction des bateaux, rite par lequel le prêtre, devant tout le village rassemblé au quai, consacrait les navires de pêche au début de chaque saison, offre le meilleur exemple de ce puissant lien unissant le pasteur et ses ouailles[75]. Toutefois, il ne faudrait pas croire à l'harmonie absolue de ces relations. Certains paroissiens aimaient bien "froliquer", ce qui provoquait l'ire du curé: "Combien de nuits de sommeil le brave curé de Lamèque a sacrifié pour essayer de prendre en flagrant délit ces incorrigibles noceurs(...)[76]". Malgré ces frictions passagères, les Laméquois pratiquent toujours, pour la majorité, la religion de leurs ancêtres.

Liste des curés de Lamèque

1887-1893:	L'abbé Joseph Trudel
1893-1908:	L'abbé J.-Romain Doucet
1910-1931:	Mgr J.-Alfred Trudel
1931-1941:	L'abbé Théophile Haché
1941-1950:	L'abbé Louis Morin
1950-1967:	L'abbé Lucien Saindon
1968-1972:	L'abbé Abel Violette
1972-1978:	L'abbé Hermel Odette
1978-1983:	L'abbé Julien Thériault

Le pont: monument à l'esprit de coopération

Le village de Lamèque est situé au sud de l'île du même nom, laquelle couvre une superficie d'environ 200 milles carrés[77]. Ses habitants étaient donc coupés de la terre ferme et isolés du reste de la population de la province. Cette situation provoque encore parfois aujourd'hui l'indifférence des personnes au pouvoir envers les Laméquois. Un exemple récent illustre bien cette attitude: lors

---

75. Documentaire visuel sur Lamèque c. 1950, propriété de la ville de Lamèque.
76. SAVOIE, A.J., *op. cit.*, p. 33.
77. ———, "Ville de Lamèque...", *op. cit.*, p. 1.

de l'organisation des fêtes du 375ième anniversaire de l'Acadie, on a omis les îles de Lamèque et de Miscou sur la carte des dépliants d'information[78]. Cet incident semble peu de choses si on le compare à la longue lutte ardue pour l'obtention d'un pont reliant l'île à la péninsule.

Malgré la quasi-autonomie de l'île, les contacts avec le village de Shippagan étaient essentiels, même au XIXe et surtout au début du XXe siècle. Les moyens d'assurer le contact variaient selon la saison: un traversier à rames en été, le passage sur la glace en hiver. Pour ce qui est du traversier, ce service était assuré, entre autres, par Joseph Savoie. Il avait mis sur pied un système par lequel des pavillons blancs et rouges étaient hissés alternativement; le blanc signifiait une personne seule alors que le rouge indiquait qu'un char à cheval était remorqué sur un petit radeau qu'il attachait à sa barque[79]. Contrairement aux autres pêcheurs de Savoy Landing qui n'osaient pas laisser leurs rames "à traîner" à cause du risque de vol, il se sentait confiant de les laisser à cause de leur poids accablant. Lui seul pouvait les manier.

Les traversées hivernales en automobile, en train, à cheval ou tout simplement à pied s'avéraient encore plus périlleuses car on avait souvent du mal à évaluer l'épaisseur de la glace. De plus, l'emblâcle et la débâcle variaient d'une année à l'autre. En effet, les téméraires qui osaient s'aventurer sur le pont de glace, s'exposaient aux dangers dissimulés sous des couches de neige qui cachaient des fosses profondes, capables d'engloutir en un instant une cargaison entière[80]. De plus, comme le souligne Édouard Chiasson dans son journal personnel, le départ des glaces pouvait survenir à n'importe quel moment, entre la troisième semaine d'avril (1898) et la mi-mai (1887), ce qui

78. EV., 27 juillet 1979, p. 7.
79. Entretien avec Albert F. Haché (22-06-83).
80. EV., 25 fév. 1955, p. 2.

empêchait l'élaboration d'un horaire de traversées[81].

Ces circonstances difficiles occasionnaient des problèmes économiques et humains dont les plus marquants furent incontestablement les accidents mortels, tel celui du 26 décembre 1928, alors que cinq personnes dans une automobile passèrent au travers de la glace du chenal de Shippagan et se noyèrent[82]. Combien de femmes enceintes perdirent la vie parce que le médecin de Shippagan, empêché par la minceur de la glace ou les orages, n'osait pas entreprendre une traversée[83]! Enfin, le secteur économique fut affecté par d'importantes pertes commerciales. En 1956, le traversier resta figé dans une glace d'un pied d'épaisseur pendant une période de trois semaines[84]. L'absence de pont ralentissait l'expédition de produits de l'île de Lamèque, telle la tourbe; Shippagan, où l'industrie de la tourbe florissait, ne connaissait pas de telles difficultés[85].

Face à cet épineux problème, les Laméquois ne demeurèrent pas silencieux. En 1938, dans un article intitulé "Les exilés des îles de Shippagan et de Miscou demandent toujours un pont", l'auteur tournait en ridicule le service existant en surnommant le traversier "Picotte et quarantaine", car les fréquentes pannes provoquaient au moins une journée d'attente, et une fois la traversée subie, on évitait de la répéter[86]. Dans un autre plaidoyer, appuyé cette fois par la Chambre de Commerce de Lamèque, on publia une série de statistiques "Afin de faire disparaître l'impression ou l'illusion que l'île de Shippagan puisse être inhabitable ou inhabitée" et pour démontrer que "les habitants de l'île de Shippagan sont assujettis à un esclavage par rapport au système actuel de transport[87]". Même des

81. Journal personnel d'Édouard Chiasson.
82. *Ibid.*, 1928.
83. OUELLETTE, E., *op. cit.*, p. 66-67.
84. EV., 3 jan. 1956, p. 3.
85. EV., 22 déc. 1958, p. 3.
86. EV., 3 mars 1938, p. 3.
87. EV., 25 février 1955, p. 2.

étrangers firent part de leur étonnement devant la situation. Un touriste québécois, vantant la beauté et la prospérité de l'île, compara l'île d'Orléans à celle de Lamèque en expliquant que celle-là comptait une population plus faible, était plus près de la terre ferme, avec des eaux moins profondes et des courants moins dangereux, mais était tout de même dotée d'un pont[88]. Mais alors, qu'est-ce qui retardait la venue du pont?

Il paraîtrait que les réticences des gouvernements provincial et fédéral furent la cause de ce retard. Faute d'investissements majeurs pour la construction du pont, le service de traversiers subsista jusqu'à la fin des années 50. En effet, l'arrivée des bateaux à vapeur remplaça les rameurs d'antan. Le premier de ces nouveaux traversiers fut le "Beaver", propriété de la "Gloucester Navigation Company Limited" (G.N.C.), fondée en 1907, et dont le président était Dr Alphonse Sormany de Lamèque. Il fut en service de 1906 à 1923, jusqu'à ce que le "Gabriel" lui succède jusqu'en 1931, année au cours de laquelle le gouvernement provincial suspendit les fonds. En réaction à la faillite imminente de la G.N.C., des marchands de Lamèque et de Shippagan créèrent la "Compagnie Traversière de Shippagan Limitée" et inaugurèrent le nouveau service avec le bateau "Léona" et son chaland le "Gaspard S". En 1935, le "Léona" fit naufrage et le service se retrouva entre les mains du gouvernement provincial. On tenta à maintes reprises d'améliorer le système, à l'aide de débarcadères, de bateaux plus puissants, de chalands plus grands, et de péniches à poulie, mais le service demeura inefficace. Un pont devenait le seul remède possible[89].

Le projet vit réellement le jour en 1957, date à laquelle

88. EV., 10 août 1944, p. 6.
89. Ce paragraphe ne constitue qu'une brève synthèse de l'évolution du service traversier entre l'île et la terre ferme. Pour de plus amples informations, voir OUELLETTE, E., *op. cit.*, p. 38-41, et ROBICHAUD, D., *op. cit.*, p. 251-258.

la "Lamèque-Shippagan Bridge Company Ltd", récemment fondée par des particuliers de Lamèque et Shippagan, entreprit des travaux de construction qui devaient coûter un million de dollars. La part du gouvernement provincial fut bien mince; celui-ci se limita à la subvention annuelle qu'il accordait au traversier[90]. Le 20 décembre 1958, François Mazerolle, l'un des constructeurs[91], fut le premier à traverser le pont en automobile. Ce pont, qui mesurait 650 pieds, pouvait s'élever pour offrir le passage à de grands navires[92]. Jusqu'en 1961, date de son achat par le gouvernement nouvellement élu de Louis Robichaud[93], ce fut un pont payant dont les tarifs variaient selon l'âge des usagers (5 cents pour ceux de 14 ans et plus), la nature du véhicule (remorques, 25 cents; motocyclettes, 25 cents; camions, 50 cents) et sa pesanteur (de 75 cents pour 6500 livres jusqu'à $2 pour au-delà de 35,500 livres)[94]. Remarquons que ce pont faillit porter le nom de "Pont Chiasson"; à son ouverture officielle en 1959, le premier ministre provincial, Hugh John Flemming, en fit la proposition au chevalier Jean-Paul Chiasson de Lamèque, l'un des directeurs de la société du pont. Celui-ci refusa, non sans regret, comme nous l'indique ses notes personnelles: "L'innocent, j'ai refusé[95]".

L'historique de ce pont ne constitue pas simplement un autre épisode de l'histoire de Lamèque. Il symbolise la détermination des gens de la région qui cherchent à assurer un meilleur développement socio-économique de leur milieu. Oeuvre de particuliers de Lamèque-Shippagan, tels Emélien Langevin, Jean-Paul Chiasson, Dominique Gauthier et bien d'autres, le pont est bien plus qu'une simple construction qui permet d'enjamber le che-

90. ROBICHAUD, Donat, *op. cit.*, p. 253.
91. EV., 22 déc. 1958, p. 3.
92. *Ibid.*, p. 254.
93. —————, "Ville de Lamèque...",op. cit.
94. EV., 22 déc. 1958, p. 3.
95. Notes personnelles de Jean-Paul Chiasson, *op. cit.*, p. 6.

nal de Shippagan. C'est "un monument qui témoigne de la tenacité et de l'initiative de toute une population consciente de ses besoins et prête à tout pour y arriver[96]".

L'économie et le développement du mouvement coopératif

À Lamèque, vie économique et pêche sont synonymes. La proximité de la mer et la nature ingrate des sols ont presque obligé les habitants à se tourner vers le milieu marin pour assurer leur gagne-pain quotidien. L'abbé Edmond Ouellette, grand défenseur de la vie agricole, auteur d'un album-souvenir de la paroisse St-Urbain de Lamèque, ne cache pas ses idées à ce sujet: "Le fermier est le roi d'un pays, car c'est lui qui fait vivre ses compatriotes [...] le fermier c'est le monarque que tous devraient aimer et respecter[97]". Il déclarait, non sans regrets, dans la section de l'historique de Lamèque concernant l'agriculture qu'"Ici, ce sont des pêcheurs[98]". Les maintes tentatives des missionnaires de l'endroit pour faire avancer l'agriculture ne portèrent pas fruit; en réponse, un pêcheur de l'île s'était exclamé: "Comment faire des fermiers avec des mangeux d'mârue?[99]".

En effet, la négligence du domaine agricole à Lamèque ne date pas de ce siècle. Henry Sormany, un citoyen de premier plan à Lamèque, ne cultivait qu'une mince portion de terre d'environ 50 "vergées"*. Son cheptel se composait d'un cheval, de deux vaches, de deux boeufs, de sept moutons et de six porcs. Il ne possédait d'ailleurs que des instruments aratoires indispensables à une petite

96. EV., 3 juillet 1963, p. 13.
97. OUELLETTE, E., *op. cit.*, p. 76.
98. *Ibid.*, p. 77.
99. HACHÉ, Louis, *Toubes jersiaises*, Éditions d'Acadie, Moncton, 1980, p. 16.

* Vergées de terre est le terme employé par Sormany dans sa correspondance française alors qu'il utilise "yards of land" pour ses correspondants anglophones. On en déduit qu'il fait allusion à une verge carrée.

ferme[100]. Les cultures les plus pratiquées étaient celles de la pomme de terre et du foin, quoique l'orge, l'avoine et le froment figuraient parmi les autres grains semés[101]. Des pénuries de foin dues aux mauvaises conditions climatiques forçaient plusieurs fermiers à abattre une partie de leur bétail pour que les autres animaux puissent hiverner[102]. Même les êtres humains souffraient de ces intempéries qui nuisaient aux bonnes récoltes: "Ceux qui ont le malheur de n'avoir pas récolté assez l'automne sont obligés de guetter pendant l'hiver, mais comme le monde par ici est très charitable, il ne meurt jamais personne de faim[103]". Si Henry Sormany, l'un des habitants les plus fortunés de Lamèque, éprouvait des problèmes agricoles, on peut facilement imaginer le sort des fermiers laméquois les plus pauvres.

Notre siècle connaît une certaine amélioration de la situation agricole à Lamèque. L'implantation du mouvement coopératif dans la plupart des domaines économiques fut l'instigatrice principale de ce développement. À titre d'exemple, un cercle coopératif de producteurs d'oeufs en produisit plus de 17,000 douzaines en 1942, ce qui constitue le rendement le plus important de toute la province[104]. De plus, l'abondance de sols marécageux, propices aux pâturages mais non à la culture, permit un certain essor de l'élevage des agneaux, qu'on expédiait aux différents marchés de la péninsule[105]. De nos jours, l'agriculture occupe toujours une place dans l'économie laméquoise, comme le démontrent les serres de tomates, ouvertes en 1976, avec une production initiale de 3000 unités par semaine[106]. Toutefois, comme dans toute la

---

100. Fonds Sormany, *op. cit.*, 13 déc. 1879.
101. *Ibid.*, p. 64, s.d.
102. *Ibid.*, p. 10, 29 nov. 1893.
103. *Ibid.*, 13 déc. 1879.
104. EV., 22 avril 1943, p. 1 et 3.
105. OUELLETTE, E., *op. cit.*, p. 77.
106. EV., 30 juin 1976, p. 4.

presqu'île de Gloucester[107], le nombre d'agriculteurs diminuait. Ainsi, pour l'année se terminant le 31 mars 1966, la société agricole de Lamèque (no 225) ne comptait que 5 membres[108] tandis qu'en 1970 la coopérative de pêcheurs de l'île en dénombrait 301[109]. La vocation économique laméquoise est donc bien définie.

Ce penchant prononcé pour les pêches influença par le fait même la nature des métiers pratiqués à Lamèque. Le recensement fédéral de 1871 fait état de marins, de commis, sans doute employés par la firme des Fruing, de débardeurs, de marchands de poissons, de tonneliers, responsables de la fabrication de "toubes", et de constructeurs de navires[110]. Sans doute le plus célèbre de ces constructeurs fut le Jersiais, James Joshua Henry, installé à la Pointe-Alexandre. Les embarcations qu'il construisit dans le chantier des Fruing virent les quatre coins du monde. Les pêcheurs de la région adoptèrent ses techniques, ce qui leur permit de construire leurs propres navires[111].

Remarquons aussi que le folklore ne put échapper à l'emprise de la mer. Des récits de "bateaux fantômes" et de "bateaux de feu" imprègnent l'histoire légendaire des habitants de Lamèque. Les descriptions varient: "une boule grosse comme un tonneau, en feu [...]", "[...] des fois, le feu - des fois en bateau des fois en bateau garni de feu[112]". Plusieurs interprétaient ces apparitions comme étant des signes avant-coureurs de tragédies maritimes et

107. CORMIER, Michel, *Le Nord-Est; hier, aujourd'hui et demain*, Thèse de maîtrise en économie, U de M., 1976, p. 31.
108. _____, *Annual Report of the Department of Agriculture of the Province of N.B., For the Year Ending March 31st 1966*, Fredericton, N.B., p. 146-147.
109. _____, *Associations coopératives, Nouveau-Brunswick, 1970-1971*, Ministère de l'Agriculture et Développement rural, Fredericton, N.-B., p. 12-13.
110. Recensement de Gloucester 1871, *S.H.N.D.*, Fredericton, A.P.N.B., 1980.
111. ROBICHAUD, Donat, *op. cit.*, p. 353. Une liste des bateaux construits dans la région de Shippagan-Lamèque, dont plusieurs dans l'île de Lamèque, ou achetés par des Laméquois, se trouve en appendice aux pages 402 à 411.
112. JOLICOEUR, Catherine, *Le Vaisseau fantôme, légende étiologique*, Les Presses de l'Université Laval, 1970, p. 251.

de tempêtes sur mer[113]. Et qui oserait ridiculiser cette croyance devant la série de naufrages de navires laméquois dont l'un des plus graves fut celui du 13 septembre 1900, lorsque treize personnes du village trouvèrent la mort et quatre goélettes sombrèrent dans les flots[114]?

Le système d'exploitation établi par les compagnies jersiaises, comme celle des Fruing pour la Pointe-Alexandre depuis 1832, demeura en place jusqu'à l'arrivée des compagnies de pêche américaines au cours des années 1940-50[115]. Payés en billets qu'ils ne pouvaient négocier que dans les magasins de la compagnie, les pêcheurs se retrouvaient vite endettés envers les Fruing. Signalons les cas de Clément Chiasson et de Lange Haché, tous deux de Lamèque, qui afin de régler leurs dettes, vendirent, en 1910, leurs terres à la firme jersiaise pour les sommes respectives de $25 et de $100 alors qu'elles avaient une valeur marchande de $800 et de $1200[116]. Le jeu de l'offre et de la demande allait aussi contre les pêcheurs. Une prise abondante de poissons signifiait une baisse exagérée du prix accordé aux pêcheurs; en 1923, le prix d'un baril de hareng gras chuta de $2 le baril à $.50 le baril[117]. Finalement, même si la firme était établie dans l'île de Lamèque, le personnel cadre provenait de l'île de Jersey où se prenaient les décisions importantes; ces facteurs contribuèrent largement à la décadence de leur système administratif et à leur faillite subséquente[118].

Ainsi en était-il de la pêche à Lamèque. Deux changements mineurs sont à signaler pour cette période. D'abord, en 1901-02, un quai public sera érigé à Lamèque

113. *Ibid.*
114. Journal personnel d'Édouard Chiasson, *op. cit.*, 1900.
115. LANDRY, N., *Aspects socio-économiques…*, *op. cit.*, p. 27.
116. *Ibid.*, p. 102.
117. EV., 13 sept. 1923, p. 4.
118. HACHÉ, Louis, *Toubes…*, *op. cit.*, p. 46-54.

au coût de \$14,000[119], ce qui poussa la firme des Fruing de la Pointe-Alexandre à venir se loger près de l'église de notre village[120]. Ce quai facilita les conditions de débordement, sans pour autant rendre plus supportable la vie des pêcheurs des Fruing. En second lieu cette firme jersiaise fit banqueroute en 1917. En septembre de cette même année, la compagnie rivale de Robin, Jones & Whitman achetait les six propriétés des Fruing, y compris celle de Lamèque, pour \$20,000[121].

Bon gré mal gré, les pêcheurs laméquois continuèrent à pratiquer le métier de leurs ancêtres. Les statistiques semblent indiquer que la morue était l'espèce de poisson la plus recherchée. Des flottilles d'une trentaine de barques équipées de 4 à 5 hommes, se rendaient près des côtes de l'Ile-du-Prince-Édouard pour des excursions d'environ 5 jours. Selon la saison, les prises pouvaient varier entre 2000 et 5000 livres par bateau, atteignant une valeur totale approximative pour l'ensemble de la flottille de \$7500 par excursion[122]. Par ailleurs les pêcheurs laméquois, à l'instar de ceux du Nord-Est, entreprirent la pêche intensive du homard dans les années 1885. En 1893, on retrouvait déjà 6 conserveries dans l'île de Lamèque[123] dont celles de W.S. Brown[124], d'Eugène Robichaud et de Sébastien Savoy[125]. La pêche du homard devenait une autre source de revenu pour les gens de Lamèque, puisque de 12 à 15 personnes travaillaient dans chaque conserverie. Cependant la surexploitation de cette espèce et certains problèmes reliés aux techniques de conservation amorcèrent le déclin de cette industrie prometteuse, qui ne se

119. EV., 6 sept. 1900.
120. EV., 30 janv. 1902.
121. ROBICHAUD, Donat, *op. cit.*, p. 181.
122. EV., 28 sept. 1922; EV., 16 juin 1923; EV., 12 juillet 1923.
123. HACHÉ, Louis, "La Curieuse Histoire de la pêche du homard", *R.H.S.H.N.D.*, vol. IV, no 3, sept.-déc. 1976, p. 31-32.
124. ROBICHAUD, Donat, *op. cit.*, p. 211.
125. McALPINE, Thomas H., *McAlpine's New Brunswick Directory for 1889-1896*, St. John, N.B., D. McAlpine & Son, 1889, p. 589-624.

stabilisera qu'au cours des années 1920[126].

Face à cette situation économique pénible et à la grande crise de 1929, les Laméquois assurèrent leur survie par la voie du mouvement coopératif. Le concept coopératif prône une économie personnaliste fondée sur l'intérêt général et les besoins des membres de la communauté[127]. Dès ses débuts, il fut présenté comme la solution de rechange au capitalisme abusif existant; mais on prenait bien soin d'éviter aussi le communisme athée et le développement d'une conscience de classe[128]. L'idée de cette formule fut véhiculée par le clergé dans les paroisses. Ayant le bon intérêt de ses ouailles à coeur et souhaitant raffermir son emprise sur sa paroisse, "pierre angulaire de son pouvoir traditionnel[129]", le prêtre rural, comme le curé Théophile Haché de Lamèque, se mit à l'oeuvre.

À Lamèque, la coopération ne date pas seulement des années 30. Déjà avant cette période, les insulaires achetaient de préférence les biens des marchands locaux; de même, ceux-ci s'approvisionnaient auprès des fermiers et des pêcheurs de l'île: "C'est en nous entendant que nous progresserons, ceci semble bien compris parmi notre population[130]". Cependant, la première réalisation concrète de ce mouvement fut la fondation de la Caisse Populaire de Lamèque en juillet 1937, sous la gérance de Légère Chiasson. Après deux années seulement, elle avait dans ses coffres $1800, réalisait un chiffre d'affaires de $2500 et regroupait le nombre impressionnant de 137 membres[131]; mais ce qui est plus important encore, la

126. HACHÉ, Louis, "La Curieuse Histoire...", op. cit., p. 37-39.
127. BOUVIER, Émile, Les Coopératives devant les progrès modernes, L'Union coopérative acadienne, Caraquet, 1970, p. 6.
128. GAUVIN-CHOUINARD, Monique, Le Mouvement coopératif acadien; fondement idéologique, histoire et composition actuelle, Mémoire présenté en vue de l'obtention de la maîtrise ès Sociologie, U. de Montréal, Montréal, 1976, p. 42-49.
129. Ibid., p. 57.
130. EV., 3 déc. 1925, p. 4.
131. EV., 9 fév. 1939, p. 6.

Caisse Populaire allait favoriser le développement d'autres organismes coopératifs à Lamèque[132], et ceci contrairement au schème avancé par Martin Légère[133]. Ces appuis prirent la forme de réunions et de conférences. En novembre 1938 eut lieu à Lamèque une grande réunion regroupant 500 délégués des comtés de Gloucester et de Restigouche, au sujet de la formule coopérative[134]. Elle fut suivie en mai 1939 d'une rencontre de tous les cercles d'étude de la paroisse de Lamèque. Il est intéressant de remarquer qu'un discours intitulé "Le Communisme au Canada" fut prononcé par Antoni Chiasson[135]. Ce fut dans ces cercles d'étude que résida la clé du succès coopératif à Lamèque, des rencontres régulières permettant l'analyse de problèmes locaux[136]. Ajoutons à ces premières réalisations le magasin coopératif, d'abord installé dans le magasin de Légère Chiasson puis dans un édifice indépendant en 1940, ainsi que les six petites coopératives de pêcheurs établies entre 1938 et 1941[137]. Le magasin coopératif vendit en 1942 pour $27,839; l'actif de la société se compose alors de bâtiments ($3,122) et de stocks de marchandises ($11,042.00)[138].

L'importance des coopératives de pêche dépassa le cadre de Lamèque. En effet, elles allaient servir d'exemple de centralisation aux autres coopératives de ce genre. À partir de 1938, on comptera six petites coopératives de pêche à Lamèque, Petite-Lamèque, Pointe-Canot, St-Raphaël, Pigeon Hill et Chiasson Office. Puisque leurs buts étaient la mise en conserve du homard et l'expédition de l'éperlan, des huîtres, du hareng et de la morue, les

---

132. EV., 22 avril 1943, p. 1 et 3.
133. LÉGÈRE, Martin, "La Coopération; facteur de développement économique chez les Acadiens", *Relations*, Montréal, oct. 1976, vol. 36, no 419, p. 268-270.
134. EV., 17 nov. 1938, p. 1.
135. EV., 11 mai 1939, p. 6.
136. EV., 22 avril 1943, p. 1 et 3.
137. OUELLETTE, E., *op. cit.*, p. 74.
138. EV., 22 avril 1943, p. 1 et 3.

membres de ces coopératives se sont vite rendu compte que le fait d'être isolés les uns des autres augmentait les frais d'exploitation. Encouragé par le Laméquois Monseigneur J. Livain Chiasson, curé de Shippagan, on décida, le 31 août 1942, de fondre les six coopératives sous le nom de "Association Coopérative des Pêcheurs de l'Île" (ACPI)[139]. Grâce à l'exemple de Lamèque, la régionalisation des coopératives aux Maritimes était amorcée: "L'Association Coopérative des Pêcheurs de l'Île semble avoir été la première expérience d'intégration dans le domaine des pêcheries coopératives acadiennes[140]". Dans un sens, le mouvement coopératif s'est tourné vers Lamèque pour s'en inspirer.

La Caisse Populaire, comme en témoigne son activité, stimula, par son capital, le développement de la communauté. Le magasin coopératif connut au fil des années un progrès exceptionnel; plus de 1100 membres, un actif total de $1,174,451 et des ventes totalisant $3,996,628[141]. Sans contredit, le plus grand succès du mouvement coopératif laméquois fut celui de la coopérative des pêcheurs. Même si un incendie rasa l'usine et l'entrepôt frigorifique en juin 1961[142], et malgré la dispute ouvriers-patronat de juin 1974[143], l'ACPI demeure la coopérative de pêche la plus florissante du N.-B.: plus de 500 membres, un actif total de $5,973,091 et des ventes totalisant $10,891,823[144]. Membre actif de l'Union des Pêcheurs des Maritimes, l'ACPI se veut à l'avant-garde de la technologie piscicole comme le démontre la construction d'une usine de farine de poisson à Lamèque en

139. GAUVIN-CHOUINARD, M., *op. cit.*, p. 96-98.
140. *Ibid.*, p. 98.
141. _____, Associations coopératives, Nouveau-Brunswick 1979-1980 ..., *op. cit.*, p. 9-12.
142. _____, "Ville de Lamèque...", *op. cit.*
143. EV., 19 juin 1974, p. 3.
144. _____, Associations coopératives, Nouveau-Brunswick 1979-1980 ..., *op. cit.*, p. 19-20.

1967[145]. Des améliorations apportées au quai et des travaux de creusage entrepris dans le port de Lamèque[146] au cours des dernières années permettent de croire à un avenir prometteur. Les propos du maire Jean-Charles Chiasson le démontrent bien: "Lamèque can boost 'zero unemployment' during the summer months because of its industry[147]". Il n'est donc guère étonnant que "Lamèque veut être reconnu comme centre de pêche", comme le proclamait un commentateur de l'*Évangéline* en 1976, soulignant le fait que ce port d'attache recevait le plus grand nombre de bateaux de la péninsule (42.3%)[148].

La dernière industrie à être mentionnée dans cet ouvrage est celle de la tourbe. Longtemps sous-estimées parce qu'elles isolaient et divisaient les groupements humains[149], les tourbières joueront enfin un rôle économique au XXe siècle. Résultant d'une oxydation incomplète lors d'une submersion de longue durée de matières végétales, la tourbe peut être utilisée comme combustible, comme isolant, comme désinfectant, comme litière pour les étables, etc.[150] L'exploitation systématique de cette ressource industrielle commença en 1942, dans la région de Shippagan avec l'arrivée de deux compagnies, le "Western Peat Moss" et "Fafard Peat Moss". En 1945, un Québécois, Émélien Langevin, assisté de Joseph Chiasson de Lamèque, constructeur des presses hydrauliques, en amorça l'exploitation entre Savoy Landing et Lamèque. En 1953, leur firme, "Atlantic Peat Moss", fit l'achat de "Western Peat Moss"[151]. L'industrie était donc lancée. Après avoir drainé les tourbières avec des canaux creusés par des Lamé-

145. EV., 23 fév. 1967, p. 6.
146. EV., 1 déc. 1976, p. 5.
147. Times & Transcript, Moncton, July 12, 1983, p. 22.
148. EV., 8 déc. 1976, p. 5.
149. SAVOIE, F., *L'Île de Lamèque, anecdotes...*, *op. cit.*, p. 9-10.
150. BOUDREAU, Alcide, "L'Industrie de la tourbe", *Revue économique*, Fév. 1964, p. 23-24.
151. ROBICHAUD, Donat, *op. cit.*, p. 247.

quois, on amassait la tourbe à la pelle par morceaux de 16 x 9 x 5 pouces, puis on la séchait. Pressée et emballotée, la tourbe était expédiée aux marchés canadiens et américains[152]. En 1954, un feu détruisit l'usine de Lamèque, alors qu'elle fonctionnait à son plein rendement grâce à ses 150 employés[153]. On reconstruisit l'usine et huit ans plus tard, "Atlantic Peat Moss" de Lamèque et Shippagan produisait pour $1.5 million[154]. Finalement, la tourbe atteindra son sommet économique lorsqu'en 1976[155], dans le cadre d'un projet-pilote parrainé par le MEER et le Ministère provincial de l'Expansion économique et des Ressources naturelles, on voulut mettre sur pied une usine fournaise alimentée par les cinq tourbières de Lamèque. Le parc industriel de Lamèque possède maintenant une industrie unique au Canada; des serres chauffées par une fournaise à tourbe[156]. La tourbe a donc pris beaucoup d'importance à Lamèque; elle est même devenue le thème de leur festival estival annuel.

La vitalité de l'économie de la région témoigne donc de l'esprit de coopération des Laméquois, surtout dans les temps difficiles. Ces gens se sont assurés un meilleur développement socio-économique en prenant leurs affaires en main. Sans cette collaboration, Lamèque serait encore dans le marasme économique du début du siècle. Aujourd'hui, Lamèque se veut un centre de services pour l'île, dont elle est "la métropole" à la fois économique et touristique.

Oeuvres sociales

Les progrès techniques du XXe siècle amenèrent de nouveaux services dans la communauté de Lamèque. Sans doute, le plus fondamental de ces services fut les soins

152. OUELLETTE, E., *op. cit.*, p. 79-80.
153. EV., 4 juin 1954, p. 3.
154. BOUDREAU, Alcide, "L'Industrie...", p. 25.
155. EV., 8 avril 1976, p. 25.
156. —————, "Ville de Lamèque...", *op. cit.*, p. 2.

hospitaliers. L'hôpital de Lamèque, fondé en 1949, comblait "une lacune longtemps sentie[157]". Effectivement, avant cette date, un patient requérant des soins médicaux devait se rendre soit à Tracadie, comme le fit Jean-Paul Chiasson en 1929 lorsqu'il contracta les fièvres typhoïdes[158], soit chez le médecin de Shippagan. Il va sans dire que les services médicaux offerts aux Laméquois étaient bien précaires.

Cet hôpital fut l'oeuvre des Religieuses Hospitalières de St-Joseph, établies à Tracadie depuis 1868, et plus particulièrement d'une religieuse née à Lamèque, Isabelle Sormany, connue sous le nom de Mère La Dauversière[159]. Installé dans le presbytère offert par le curé Morin, l'Hôtel-Dieu comprenait 12 lits pour adultes, 6 lits pour enfants, une pouponnière, une salle de radiographie et une salle d'accouchement[160]. Sous la direction de la Révérende Mère Ste-Thérèse de Lisieux (née Alfreda Haché, de Lamèque), le personnel comptait deux assistantes, Sr Ste-Jeanne et Sr Marie-Cécile, deux aides gardes-malades diplômées, Mlles Béatrice Chamberlain et Lilliane Landry, ainsi que quatre aides, soit les demoiselles Brigitte Paulin, Albertine Landry, Annette Noël à la cuisine et Henriette Paulin à la buanderie[161].

Si l'on en juge par les services rendus au cours de sa première année d'existence, l'hôpital de Lamèque répondait à un besoin resenti depuis longtemps. Dès l'arrivée de sa première patiente, Mme Albert Lanteigne de Haut-Lamèque, hospitalisée pour la naissance de son fils Joseph-François[162], l'hôpital connut un constant va-et-vient de malades. Ainsi, du 23 mars 1949, date de l'ouverture, au

157. EV., 16 juin 1951, p. 6.
158. Notes personnelles de Jean-Paul Chiasson, p. 7.
159. BERNARD, Antoine, *Les Hospitalières de St-Joseph et leur oeuvre en Acadie*, Vallée-Lourdes, N.-B., 1958, p. 267.
160. EV., 16 juin 1951, p. 6.
161. *Ibid.*
162. EV., 19 avril 1949.

15 mai 1950, le travail accompli à l'hôpital peut se mesurer ainsi: 469 malades hospitalisés dont 228 externes; 71 nouveaux-nés; 533 malades traités dont 78 en chirurgie mineure, 382 en médecine et 73 en obstétrique, pour un total de 3 197 jours d'hospitalisation[163]. Une question fondamentale doit être posée: que faisaient donc les malades des îles avant l'aménagement de l'hôpital?

En plus des avantages économiques, l'hôpital eut également des effets secondaires positifs. D'abord, l'installation d'un hôpital assura la venue d'un médecin résident à Lamèque en la personne du Dr Eugène Cormier de St-Paul de Kent[164]. Il occupait ainsi un poste vacant depuis le début du siècle; en 1908, le Dr Alphonse Sormany, fils d'Henry Sormany, avait décidé d'abandonner sa pratique médicale à Lamèque pour s'installer à Shippagan[165]. Maintes tentatives pour construire une résidence de médecin ne portèrent pas fruit[166].

Plusieurs groupements, dont celui des Dames Auxiliaires de l'Hôtel-Dieu fondé en 1949[167], cherchèrent à améliorer le fonctionnement de l'hôpital. De pair avec les Dames de l'Institut, ces femmes dévouées organisèrent au fil des années bon nombre d'activités pour faire l'achat d'une table d'obstétrique[168] et d'un poste de radio[169]. On subviendra à d'autres besoins urgents grâce aux pressions exercées par des lettres à l'éditeur de l'*Evangéline*; certaines d'entre elles plaidoyaient en faveur de l'obtention d'un appareil de radiographie: "Nous avons beaucoup de tuberculose sur les illes de Shippagan et Miscou et c'est un Rayon X qu'il nous faut et pas seulement des statues[170]".

163. EV., 1 mai 1950.
164. OUELLETTE, E., *op. cit.*, p. 67.
165. ROBICHAUD, Donat, *op. cit.*, p. 151.
166. EV., 31 mars 1927.
167. EV., 24 déc. 1949.
168. EV., 2 mai 1980.
169. EV., 1 fév. 1952.
170. EV., 25 jan. 1980.

Le "lobbying" persistant en faveur d'un plus grand hôpital amena, en 1962, la construction de l'Hôtel-Dieu de St-Joseph de Lamèque qui comptait une quarantaine de lits[171]. Le financement fut assuré par les religieuses hospitalières ainsi que par les gouvernements provincial et fédéral*. En 1972, avec la politique de laïcisation des hôpitaux, l'Hôtel-Dieu de Lamèque passa au ministère provincial de la Santé. À l'heure actuelle, il est servi par une équipe composée de 5 médecins omnipraticiens, un chirurgien et un dentiste, dont la majorité habitent Lamèque. En moyenne, 1400 patients y sont hospitalisés chaque année alors que 15,000 reçoivent des soins de la clinique externe. Le travail des Dames Auxiliaires continue dans la même veine que lors des premières années**.

Un autre service qui se fit attendre fut le service postal. Jusqu'à vers la fin du XIXe siècle, Lamèque dépendait du bureau de poste de Shippagan[172]. En 1899, soit quatre ans après la création d'un bureau de poste à Petite-Lamèque, le village de Lamèque se vit accordé le sien[173]. Celui-ci proposait une plus grande gamme de services, soit la vente de timbres, l'envoi de lettres et l'émission de mandats-poste, les autres bureaux de l'île n'offrant pas ce dernier service[174]. Le système fut toujours la cible de critiques et de mépris, d'abord parce que le déballage du courrier se faisait à Shippagan[175], ce qui en retardait l'expédition. Par exemple, le courrier de la fin de l'année 1950 n'a été

---

171. _____, Study of the Health Facilities in Province of New Brunswick, Llewelyn-Davies Weeks Forestier-Walker and Bor, London, Eng., 1970, App. D.

* _____, 45th annual report of the Chief Medical Officer of the Minister of Health 1962, Fredericton, N.B., 1962.

** Entretien avec Rhéal Naud, administrateur de l'hôpital, le 5 août 1983.

172. ROBICHAUD, Donat, op. cit., p. 274.

173. RAYBURN, op. cit., p. 151.

174. _____, Ready Reference and Year Book of the Province of N.B., Fredericton, 1910, p. 147.

175. EV., 10 fév. 1927.

distribué que six mois plus tard[176].

Ces déficiences du service postal furent en grande partie causées par le mauvais système routier. En effet, les routes de l'île étaient tristement célèbres. Des espèces de sentiers battus, dont le chemin des "maragoins" reliant Lamèque au Petit-Shippagan datait d'avant la Confédération[177]. Le cauchemar s'aggravait l'hiver lorsque s'ajoutait le problème du déblayage: il fallait même marquer la route avec des troncs d'arbres, déjà rares dans l'île[178]. Toutefois, "malgré l'état pitoyable des routes dans toutes les parties de la paroisse" on trouvait quand même le moyen de se rendre au service dominical[179]. La communauté de Lamèque se souvient encore du premier accident de voiture relié à l'état des routes: André Chiasson, au volant d'une Ford modèle T, perdit le contrôle de son bolide et s'écrasa contre les bouleaux au bord de la route[180].

Enfin, le 2 décembre 1892, un cable téléphonique traversant le havre de Shippagan, relia pour la première fois l'île à la terre ferme. Le premier téléphone à Lamèque fut celui du curé Joseph Trudel; il était relié aux six autres appareils de l'île et à celui de Miscou. Le service ne fut guère satisfaisant à ses débuts, et la centrale automatique régionale ne fut installée qu'en 1963[181]. On disposa d'électricité pour éclairer les résidences de Lamèque pour la première fois à l'automne 1948; les autres parties de l'île durent attendre l'année suivante[182]. Toutefois, l'hiver, les pannes étaient fréquentes.

L'organisation des services sociaux à Lamèque au XXe siècle illustre la mise en place d'infrastructures assurant une certaine autonomie à notre village. De plus, l'ouver-

176. OUELLETTE, E., *op. cit.*, p. 25.
177. *Ibid.*, p. 25.
178. EV., 3 fév. 1927.
179. EV., 13 mai 1955, p. 6.
180. OUELLETTE, E., *op. cit.*, p. 26.
181. ROBICHAUD, Donat, *op. cit.*, p. 276-277.
182. EV., 16 avril 1949.

ture de diverses boutiques, comme le salon de couture d'Agathe Duguay, ou le salon de beauté "Norma" en 1955[183], laisse croire que les Laméquois n'auront plus à quitter leur village pour trouver les services qu'auparavant ils devaient chercher ailleurs. Même la culture classique constituera une préoccupation majeure dès le début du siècle; on organisera des concours de chants grégoriens[184], des concerts[185] et aujourd'hui, on connaît partout le Festival international de musique baroque de Lamèque.

---

183. EV., 8 oct. 1955, p. 3.
184. EV., 16 avril 1936, p. 4.
185. EV., 11 mai 1937, p. 4.

CONCLUSION

Lamèque naquit à la fin du XVIIIe siècle, du travail de ses pionniers venus trouver refuge sur les côtes de son havre. Malgré un XIXe siècle difficile, marqué par la présence écrasante de la firme jersiaise des Fruing, les Laméquois continuèrent à développer leur village par la construction d'une église, d'une école, de commerces, etc. Puis le mouvement coopératif, né des sombres jours des années 1930, allait débarrasser Lamèque de la tutelle des compagnies de pêche étrangères et assurer une plus grande participation des Laméquois à la gestion des pêcheries. Grâce à l'initiative et à la collaboration de ses habitants, notre village est actuellement un petit port de mer prospère.

La formule coopérative est d'une importance primordiale dans l'histoire de Lamèque. Bien avant la création des coopératives à la fin des années 1930, la coopération était la solution idéale pour ces insulaires séparés des autres villages de la péninsule par un bras de mer, et coupés des autres hameaux de l'île par de nombreuses tourbières. Ignorés des autorités, les Laméquois devaient prendre leurs affaires en main s'ils désiraient accéder à un meilleur niveau de vie. Leur place au soleil dépendait de leur initiative; le passé leur avait appris qu'il était inutile de se fier aux autres. L'exemple du pont, qu'on n'obtint qu'au début des années 1950, offre une illustration concrète de l'isolation dans laquelle l'île était plongée. Cependant, par ses nombreux efforts, Lamèque s'est affirmée comme une des communautés les plus dynamiques de la province.

Cette synthèse de son histoire ne prétend pas saisir tout le passé de Laméque. Celui-ci renferme encore bien des aspects et des problèmes à explorer. En effet, les possibilités de recherche sur l'histoire de Lamèque sont nombreuses. Le rôle économique des Jersiais demeure un bon sujet d'étude, de même que leur influence sur la vie sociale du village et de l'île. Ces Jersiais étaient des protestants. Il serait intéressant d'analyser l'effet de leur culte sur la majorité catholique de Lamèque. Des personnages-clés du passé laméquois, tels Joshua Alexandre et Henry A. Sormany, méritent aussi des analyses plus poussées.

Ainsi, Lamèque présente toujours des possibilités pour des chercheurs avides de mieux connaître le passé. Les documents existent; il suffit d'investir le temps nécessaire pour les dépouiller et les exploiter.

Lamèque d'aujourd'hui est assurée, semble-t-il, d'un bel avenir. Cet historique se veut un rappel des efforts qu'ont déployés ses pionniers. La garantie du destin laméquois est le respect du lien intime qui unit le village à la mer.

BIBLIOGRAPHIE

A. Sources

1) Manuscrits

A.A.Q., N.B. VI-38 et N.B. 1-160. (Copies de ces lettres au C.E.A.).

Requêtes de terres, Gloucester, A1-1-3, A1-1-4 et A1-1-5. (Photocopies des originales au C.E.A.).

Concessions de terres, comté de Gloucester, F. 1351, No 2609 et No 2759, A.P.N.B.

Politique-Gloucester-requête des habitants, 1826, A1-5-15. (Photocopies au C.E.A.).

Registre paroissial de St-Urbain de Lamèque. (Photocopies au C.E.A.).

Fonds Clarence LeBreton, 503-1-2, C.E.A.

Fonds A.M. Sormany, 25.6-2, C.E.A.

Ledger de William Fruing, 1834, 523.1-1, C.E.A. (Photocopies).

Notes personnelles de Jean-Paul Chiasson, Document appartenant à M. Ruffin Chiasson de Lamèque.

Journal personnel d'Édouard Chiasson de Lamèque.

2) Publications

"Census of 1851", *J.H.A.N.B.*, 1852.

"Census of 1861", *J.H.A.N.B.*, 1862.

Recensement 1861, comté de Gloucester, Fredericton, Centre de documentation de la S.H.N.D., A.P.N.B., 1980.

Recensement 1871, comté de Gloucester, S.H.N.D., Fredericton, A.P.N.B., 1980.

J.H.A.N.B., 1786-1868.

Statutes of New Brunswick, 1786-1836, Fredericton, King's Printer, 1838.

Rapports et procès-verbaux de la session annuelle du conseil municipal du comté de Gloucester, 1901-1955.

Annual Reports of the Schools of New Brunswick, Fredericton, 1880-1930.

————, *Ready Reference and Year Book of the Province of New Brunswick*, Fredericton, 1910.

————, "Document inédit", *R.H.S.H.N.D.*, vol. 2, no 1, jan.-fév. 1974, p. 22.

ATKINSON, Christopher, *A Guide to New Brunswick, British North America...*, Edinburgh, Anderson and Bryce, 1843.

BRUN, Régis S., "Les papiers Amherst", *C.S.H.A.*, vol. 3, no 7, avril-juin 1970.

CHAREST, Rémi, (Relevés et présentés par), "Les îles Lamèque et Miscou à l'époque du père Romain Doucet", *R.H.S.H.N.D.*, vol. 5, nos 2 et 3, avril-août 1977, p. 29-54.

COONEY, Robert, *A Compendions History of the Northern Part of the Province of New Brunswick and of the District of Gaspé in Lower Canada*, Chatham, D.G. Smith, 1896.

DEGRÂCE, Eloi et al., *Histoire de l'Acadie par les textes*,

Moncton, Éditions d'Acadie, 1976.

DENYS, Nicolas, *The Description and Natural History of the Courts of North America*, traduction, édition de l'original par W.F. Ganong, Toronto, The Champlain Society, 1908.

GANONG, W.F., "Additions to monographs", *Contributions to the History of New Brunswick*, 7 vols., Ottawa, Royal Society of Canada, 1906.

GANONG, W.F., "The History of Shippegan", *Acadiensis*, 1907.

GANONG, W.F., (edited by), "A Narrative of an extraordinary escape out of the hands of the Indians in the Gulph of St. Laurent", *Collections of the N.B. Historical Society*, 1905.

GESNER, Abraham, *New Brunswick, with notes for Emigrants*, London, Simmonds and Ward, 1847.

HAMILTON, W.D. et SPRAY, W.A., *Source Materials Relating to the New Brunswick Indian*, Fredericton, Centennial Print, 1976.

HUTCHINSON, Thomas, *Hutchinson's New Brunswick Directory for 1865-66*, St. John, 1866.

LEBRETON, Clarence, "Notes historiques sur la cloche de l'église de Lamèque, N.-B.", *R.H.S.H.N.D.*, vol. 3, no 2, avril-juin 1975, p. 8-9.

MacGREGOR, James, *Historical and Descriptive Sketches of the Maritimes Colonies of British America*, 1828, S.R. Publishers Ltd., Johnson Reprint Corporation, 1968.

McALPINE, Charles D. et Charles F., *Canada's Manufacturers and Business and Professional Record and Gazetteer*, Toronto, Trade Publishing Company Ltd., 1908.

McALPINE, Thomas H., *McAlpine's New Brunswick Directory for 1889-1896*, St. John, N.B., D. McAlpine and Son, 1898.

MONRO, Alexander, *New Brunswick; with a brief outline of Nova Scotia and Prince Edward Island*, Halifax, Richard Nagent, 1855.

MORSE, W., "Account of the voyage of Monsieur de Meulles to Acadie, 1685-1686", *Acadiensa Nova*, vol. 1, 1935.

PERLEY, Moses, *Reports of the Sea and River Fisheries of New Brunswick*, Fredericton, Queen's Printer, 1852.

PLESSIS, Joseph-Octave, Mgr, "Voyage de 1812 en Acadie de Mgr Plessis", *C.S.H.A.*, vol. 1, nos 1-2-3, 1980.

RAND, Silas T., *Micmacs place-name in the Maritime Provinces and Gaspé Peninsula recorded between 1852 and 1890*, Ottawa, Geographical Board of Canada, 1919.

RAYMOND, W.O., *Winslow papers, A.D. 1776-1826*, St. John, New Brunswick Historical Society, Sun Printing Co., 1901.

THÉRIAULT, Fidèle, "Document, les confirmés de 1811", *R.H.S.H.N.D.*, vol. 3, no 4, oct.-déc. 1975.

THÉRIAULT, Fidèle, "François Haché, (1778-1845)", *R.H.S.H.N.D.*, vol. 4, no 1, jan.-avril 1976.

THÉRIAULT, Léon, (Présenté par), "Les Examens dans les écoles du Nouveau-Brunswick: Lamèque, 1880", *C.S.H.A.*, vol. 10, no 1, mars 1979.

B. Ouvrages

————, *Possibilités Agricoles des Sols*, Ottawa, Environnement Canada, Direction générale des terres, (Bathurst, 21 p.).

————, "Ville de Lamèque; Lamèque, N.-B.", Publication inédite, s.d.

————, *Annual Report of the Department of Agriculture of the Province of New Brunswick, for the year ending March*

31st, 1966, Fredericton, 1967.

—————, *Associations Coopératives, Nouveau-Brunswick, 1970-1971*, Fredericton, Ministère de l'Agriculture et du Développement Rural.

—————, *Study of the Health Facilities in the Province of New Brunswick*, London, Llewelyn-Davies Weelcs Forestier-Walker, 1970.

—————, *45th annual report of the Chief Medical Officer of the Minister of health, 1962*, Fredericton, 1962.

ALLEN, P. et TURNBULL, C., "Familles archéologiques: Iles de Miscou, Lamèque, Taylor et Pokemouche", *R.H.S.H.N.D.*, août-déc. 1977, vol. 5, no 4, p. 13-30.

BASQUE, Maurice, BOURGEOIS, Roy et KERRY, Debra, *Deux siècles de particularismes, Une histoire de Tracadie*, 1982, ouvrage inédit (copie au C.E.A.).

BERNARD, Antoine, *Les Hospitalières de Saint-Joseph et leur oeuvre en Acadie*, Vallée-Lourdes, N.-B., 1958.

BOUDREAU, Alcide, "L'Industrie de la tourbe", *Revue économique*, février 1964.

BOUVIER, Émile, *Les Coopératives devant les progrès modernes*, Caraquet, L'Union coopérative acadienne, 1970.

BROOKES, Alan A., "Doing the Best I Can: The Taking of the 1861 New Brunswick Census", *Histoire sociale - Social History*, vol. IX, no 17, mai 1976.

BRUN, Régis S., *De Grand-Pré à Kouchibougouac, l'histoire d'un peuple exploité*, Moncton, Éditions d'Acadie, 1982.

CHIASSON, Jean-Paul, *Les Chiasson, Généalogie*, Lamèque, 1969.

DEGRÂCE, Eloi, "L'Église United Church de Shippagan", *R.H.S.H.N.D.*, vol. 5, no 1, jan.-mars 1977.

DELUMEAU, Jean, *La Peur en Occident, (XIVe-XVIIIe siècles), une cité assiégée*, Paris, Fayard, 1978.

DOUCET, Philippe, "La Politique et les Acadiens", *Les Acadiens des Maritimes*, Moncton, C.E.A., 1980.

DUPONT, Jean-Claude, *Héritage d'Acadie*, Montréal, Leméac, 1977.

GALLANT, Patrice, *Michel Haché-Gallant et ses descendants*, Tome 2, Sayabec, 1970.

GARLAND, Robert et al., *Promises, Promises... An Almanac of New Brunswick elections, 1870-1980*, St. John, Keystone Printing, 1981.

GRAVES, James et al., *New Brunswick Political Biography*, vol. IX, MLA's Carleton, Gloucester and Kent Co.

HACHÉ, Louis, *Adieu, P'tit Chipagan*, Moncton, Éditions d'Acadie, 1978.

HACHÉ, Louis, *Charmante Miscou*, Moncton, Éditions d'Acadie, 1974.

HACHÉ, Louis, *Toubes jersiaises*, Moncton, Éditions d'Acadie, 1980.

HACHÉ, Louis, "La Curieuse Histoire de la pêche du homard", *R.H.S.H.N.D.*, vol. 4, no 3, sept.-déc. 1976.

HÉBERT, Léo-Paul, "Le Père Jean-Baptiste de la Brosse à la Baie des Chaleurs", *Revue d'histoire et de tradition populaire de la Gaspésie*, no 52, oct.-déc. 1975.

HENRYPIN, Jacques, *La Population canadienne au début du XVIIIe siècle; Nuptialité, fécondité, natalité, infantile*, Travaux et Documents, cahier no 22, P.U.F., 1954.

HUGHES, Gary, "Two Islands and their Stated Bondage; Lamèque and Miscou, 1849-61", *Journal of the New Brunswick Museum*, 1978.

INNIS, Harold A., *The Cod Fisheries, The History of an International Economy*, Toronto, University of Toronto, 1954.

JOLICOEUR, Catherine, *Le Vaisseau fantôme, légende étiologique*, Québec, Presses de l'Université Laval, 1970.

LÉGÈRE, Martin, "La Coopération; facteur de développement économique chez les Acadiens", *Relations*, oct. 1976, vol. 36, no 419.

LÉGER, J. Médard, "Miscou en 1620", *C.S.H.A.*, 1er cahier, 1961.

OUELLETTE, Edmond, *Album-souvenir, Église Saint-Urbain, Lamèque, N.-B.*, Edmundston, April et Fortin Ltée, 1951.

RAYBURN, Alan, *Geographical Names of New Brunswick*, Ottawa, Dept. of Energy, Mines and Resources, 1975.

ROBICHAUD, Donat, *Le Grand Chipagan, histoire de Shippagan*, Beresford, chez l'auteur, 1976.

ROBICHAUD, Donat, *Les Robichaud, histoire et généalogie*, Bathurst, Séminaire Saint-Charles, 1964.

ROY, Michel, *L'Acadie des origines à nos jours, essai de synthèse historique*, Montréal, Québec-Amérique, 1981.

SAVOIE, Alexandre-J., *Un demi-siècle d'histoire acadienne*, Montréal, Imprimerie Gagné, 1976.

SAVOIE, Francis, *L'Île de Lamèque, anecdoctes, tours et légendes*, 2e édition, Moncton, Éditions d'Acadie, 1981.

THÉRIAULT, Bernard, *Les Robin: présence jersiaise en Acadie*, Travail présenté au département des Ressources historiques du N.-B. et à l'administration du Village historique acadien, 1975.

THÉRIAULT, Léon, *La Question du pouvoir en Acadie*, Moncton, Éditions d'Acadie, 1982.

THÉRIAULT, Léon, "Les Missionnaires et leurs paroissiens dans le Nord-Est du Nouveau-Brunswick, 1766-1830", *Revue de l'Université de Moncton*, vol. 9, nos 2 et 3, octobre 1976.

UPTON, L.F.S., *Micmacs and Colonists, Indian-White Relations in the Maritimes, 1713-1867*, Vancouver, U.B.C., 1979.

WYNN, Graerne, "New Brunswick Parish Boundaries in the pre-1861 census years, Documents", *Acadiensis*, vol. 6, no 2, Spring 1977, p. 95-105.

WYNN, Graerne, *Timber Colony: A Historical Geography of Early Nineteenth Century N.B.*, Toronto, University of Toronto Press, 1981.

C. Thèses

CHAUSSADE, Jean, *La Pêche et les pêcheries des Provinces Maritimes du Canada*, Thèse de doctorat, Université de Brest, 1980.

CORMIER, Michel, *Le Nord-Est; hier, aujourd'hui et demain*, Thèse de maîtrise en économie, Université de Moncton, 1976.

GAUVIN-CHOUINARD, Monique, *Le Mouvement coopératif acadien; Fondements idéologiques, histoire et composition actuelle*, mémoire pour la maîtrise en sociologie, Université de Montréal, 1976.

HAINES, Cederic L., *The Acadian Settlement of Northeastern New Brunswick: 1755-1826*, thèse de maîtrise en histoire, U.N.B., 1979.

LANDRY, Nicolas, *Aspects socio-économiques des régions côtières de la péninsule acadienne 1850-1900*, thèse de maîtrise en histoire, Université de Moncton, 1983.

MAILHOT, Raymond, *Prise de conscience collective acadienne au Nouveau-Brunswick (1860-1891) et comportement de la majorité anglophone*, thèse de doctorat, Université de Montréal, 1973.

ROY, Thérèse B., *L'Évolution de l'enseignement chez les Acadiens du Nouveau-Brunswick, 1755-1855*, Mémoire pour la maîtrise en éducation, Université de Moncton, 1972.

D. Journaux

L'Évangéline, Moncton, N.-B.

The Gleaner, Chatham, N.-B.

Le Moniteur Acadien, Shédiac, N.-B.

Le Courrier des Provinces Maritimes, Bathurst, N.-B.

The Times and Transcript, Moncton, N.-B.

E. Film

Documentaire visuel sur Lamèque, c. 1950 (Propriété de la municipalité de Lamèque).

F. Entretiens

Albert E. Haché, 22 juin 1983.

Sr Bernadette Nardini, C.J.M., 26 juillet 1983.

Rhéal Naud, 5 août 1983.

Table des matières

Reconnaissance 7

Introduction 9

Sigles 13

Chapitre I: Lamèque, des origines
  à la Confédération (1867) 15
    Lamèque: les origines du village 15
      Description physique 15
      Toponyme 16
      Les Micmacs 18
      Lamèque aux XVIIe et XVIIIe
        siècles 20
    Les premières familles 21
    Un bref aperçu démographique 26
    Le phénomène politique à Lamèque
      avant 1867 32
    L'éducation 41
    La religion 43
    Une économie axée sur les pêcheries 49

Chapitre II: Lamèque, de 1867
  à nos jours 59
    L'évolution démographique 59
    Bref aperçu de la vie politique
      laméquoise 64
    L'éducation 68

La vie religieuse 84
Le pont: monument à l'esprit de
    coopération 88
L'économie et le développement du
    mouvement   coopératif 93
Oeuvres sociales 102

Conclusion 109
Bibliographie 113

Achevé d'imprimer en septembre 1984
par Barnes-Hopkins Ltée
pour le compte des
Editions d'Acadie Ltée